Dans la même collection
« LES CRITIQUES
DE NOTRE TEMPS »

APOLLINAIRE
BECKETT
CAMUS
CLAUDEL
GIDE
KAFKA
MALRAUX
MONTHERLANT
NOUVEAU ROMAN (Le)
PÉGUY
PROUST
SAINT-EXUPÉRY
SARTRE
VALÉRY
ZOLA

Les critiques de notre temps et IONESCO

Éditions Garnier Frères
19, rue des Plantes, Paris

Couverture : atelier Pierre Faucheux.
Photo René Saint-Paul.

Les critiques de notre temps et IONESCO

présentation par

Raymond Laubreaux

Claude Abastado
Georges Anex
Simone Benmussa
Faust Bradesco
Richard N. Coe
Jean Delay
Sylvain Dhomme
Jean-Hervé Donnard
Bernard Dort
Serge Doubrovsky
Martin Esslin
Henri Gouhier
David I. Grossvogel
Jacques Guicharnaud
Robert Kanters
Maurice Lécuyer
Jacques Lemarchand
Gabriel Marcel
Hans Mayer
Agnès Nicolaïevna Mikheieva
Dominique Nores
Léonard C. Pronko
Gilles Sandier
Renée Saurel
Jacques Schérer
Hildegard Seipel
Philippe Sénart
Geneviève Serreau
Pierre-Aimé Touchard
Frédéric Towarnicki
Jean Vannier
Hélène Vianu

INTRODUCTION

N'y a-t-il pas quelque audace à prétendre lire l'aventure créatrice d'Eugène Ionesco à travers les écrits des critiques?

En effet, on ne compte plus les boutades — parfois acerbes ou acérées, et parfois plus que des boutades — que Ionesco a proférées à leur encontre. Il a même qualifié de « dialogue de sourds » l'espèce de polémique quasi permanente, en tout cas réitérée d'une création à l'autre, qu'il a entretenue avec ces « docteurs en théâtrologie », à qui *L'Impromptu de l'Alma* réglait — provisoirement — leur compte. Il est même allé plus loin, affirmant que son œuvre « est un combat contre toute tentative de définition ou d'explication » de lui-même « par les autres ».

Il lui arrive toutefois de reconnaître que, si surdité il y a, elle n'est pas le fait de ses seuls partenaires, et que, même, plusieurs de ses critiques ont pu, en une vingtaine d'années de confrontation, lui devenir des sortes d'amis, dont il ne peut s'empêcher de supputer quelle sera la réaction lorsqu'ils verront sur scène la nouvelle pièce qu'il est en train d'écrire. Le propos de ce livre n'est donc pas si risqué qu'il aurait pu paraître.

D'autant qu'il ne pouvait être question de constituer un volume avec les comptes rendus au jour le jour et les jugements forcément brusqués auxquels l'exigence journalistique, dite de l'actualité, contraint les rédacteurs d'une chronique dramatique. Que n'eût-on pas lu dans un tel recueil! En 1950, que Ionesco faisait « perdre des spectateurs au théâtre »; trois ans après, que sa pièce *Victimes du devoir* n'était qu'une « cacophonie », que son apport était « strictement égal à zéro »; un peu plus tard encore, qu'il n'était qu'un « plaisantin », un « fumiste », au mieux « une menue *curiosité* du théâtre d'aujourd'hui ». Il suffira qu'on trouve ici, dans un texte de Gabriel Marcel, un prolongement de cette mauvaise humeur et de ce refus véhément qui furent ceux de bien des chroniqueurs.

On peut assez comprendre qu'impatienté par la lecture de tels verdicts, Ionesco se soit laissé aller à condamner toute critique et se soit donné le malin plaisir de citer abondamment des affirmations catégoriques et contradictoires dans une conférence prononcée à la Sorbonne en 1960, au moment où, précisément, dix ans après *La Cantatrice chauve,* commençaient à paraître quelques études sérieuses sur son œuvre.

En fait, cette œuvre avait trouvé, dès le début, d'importants soutiens. Si seuls parmi les critiques Renée Saurel et Jacques Lemarchand défendirent *La Cantatrice chauve,* quelques-uns des écrivains les plus marquants de notre époque, un Queneau, un Salacrou, un Paulhan, reconnurent en Ionesco un authentique dramaturge. André Breton alla même jusqu'à lui dire : « Voilà ce que nous aurions voulu faire au théâtre. Nous avons eu une poésie surréaliste, une peinture surréaliste, mais nous n'avons pas eu un théâtre surréaliste, et c'était celui-là qu'il nous fallait. » De telles paroles allèrent si fort au cœur de l'auteur qui débutait au théâtre que l'académicien qu'il est devenu continue de les citer comme s'il avait encore besoin d'une caution. Or, les pièces qui inspirèrent ces paroles sont celles qui avaient si fort bousculé les rares spectateurs de leurs premières représentations, mais qui, depuis 1957, se jouent sans interruption sur le petit théâtre de la Huchette. La proportion des spectateurs hostiles et de ceux qui sont conquis est à présent inversée et les protestataires se sont sentis de plus en plus isolés, souvent invités à se taire par les autres. À la création des *Chaises,* Audiberti criait un retentissant « bravo! » au milieu d'à peine vingt personnes, mais, à l'occasion de la reprise de 1956, malgré l'hostilité affichée du titulaire de la rubrique théâtrale de ce journal, les colonnes du *Figaro* s'ouvraient à Jean Anouilh qui y déclarait sans ambages : « C'est un fait, le jeune théâtre français a nom Beckett, Adamov, Ionesco » et ajoutait, à propos des *Chaises :* « Je crois bien que c'est mieux que Strindberg, parce que c'est noir " à la Molière ", d'une façon parfois follement drôle, que c'est affreux et cocasse, poignant et toujours vrai... » Toute une partie du public bourgeois se rallia au jugement de celui qui se dénommait, dans le même article, « une sorte de vieux boulevardier ». Dans *L'Observer* du 22 juin 1958, Kenneth Tynan, qui avait tant fait pour imposer Ionesco en Angleterre, se mettait à s'inquiéter : « Les applaudissements avaient une intensité assourdissante, la sorte de frénésie qui est symptomatique d'un culte nouveau. C'était un culte de Ionesco ; et j'y flaire un danger. » Ce danger, c'était, selon Kenneth Tynan, de voir dans l'œuvre de Ionesco « le seul accès possible vers le théâtre de l'avenir », d'où seraient exclues « la foi en la logique et... la foi en l'homme ». Une telle attitude, comme aussi la controverse qui occupa jusqu'en juillet les colonnes de *L'Observer,* témoignent de l'intérêt grandissant que le public anglais portait à l'auteur des *Chaises.* À la même époque, la revue italienne *Il Dramma* qualifie Ionesco de « l'autore più discusso del teatro contemporaneo », et il faudra attendre encore six ans la reddition de la citadelle Gautier.

Dès lors, la question se pose de savoir si la critique traditionnelle a vraiment rendu les armes, ou si ce n'est pas Ionesco qui se détourne de ce qu'il a été jusqu'alors. C'est cette seconde interprétation du phénomène que suggérera, quelques années plus tard, Gilles Sandier.

Il n'est pas sûr que Ionesco doive s'en offusquer. Ne disait-il pas lui-même, ouvrant en juin 1959, les Entretiens d'Helsinki, que tout théâtre d'avant-garde, qu'on le considère comme précurseur d'un nouveau théâtre ou comme un acte de rupture, tôt ou tard s'intègre dans la tradition théâtrale. Et il est vrai que, lorsque Jean-Marie Serreau remonte *Comment s'en débarrasser* à l'Odéon-Théâtre de France, cette même fin de saison 60-61 où Roger Blin y a présenté une reprise de *En attendant Godot,* on peut croire, devant l'affluence des spectateurs, que l'avant-garde des années 50 a trouvé son public. De la même façon que des écrivains comme Gide, Valéry ou Claudel, confidentiels avant 1914, n'ont trouvé leur audience qu'après 1920. De la même façon qu'il a fallu la publication en collection de poche de *L'Écume des jours* en 1963 pour que le trompettiste adulé à Saint-Germain-des-Prés atteigne ses vrais lecteurs, la jeunesse de la génération suivante.

Pourtant, le cas de Ionesco est plus ambigu. S'il est vrai que l'adolescence d'aujourd'hui considère encore

La Cantatrice chauve, La Leçon, ou telle autre de ses petites pièces comme le théâtre d'avant-garde, il n'est pas moins patent que Ionesco a changé sa manière et qu'il s'est par là moins avancé à la rencontre de la jeunesse à venir qu'il n'a ramené à lui cette fraction du public que d'abord il inquiétait, qui, à présent, l'adopte. Cette ambiguïté n'a pas été sans provoquer des commentaires contradictoires. Il n'est pas toujours prudent, pour un critique, de vaticiner. Un peu déconcerté par le tournant que marquaient, dans le théâtre de Ionesco, *Tueur sans gages* et *Rhinocéros,* Robert Abirached, tout en se défendant de jouer les Bartholomeus, ne craignait pas d'affirmer que le génie de Ionesco était « essentiellement comique » et que, à ses yeux, le « second souffle » de ce théâtre ferait de son auteur « ce qu'il n'aurait jamais dû cesser d'être : le poète comique des temps modernes ». Plus avisée, Dominique Nores, vers la même époque, appréciait que cette œuvre se développât « en se riant des formes que ses admirateurs voudraient lui imposer ». Peut-être se développait-elle ainsi simplement parce que, avançant en âge, l'homme Ionesco éprouvait le besoin d'introduire peu à peu, de façon plus évidente, dans son théâtre, ce que déjà des écrits intimes, qu'il ne publierait que plus tard, lui révélaient à lui-même. « Une œuvre d'homme, écrivait Camus, n'est rien d'autre que ce long cheminement pour retrouver par les détours de l'art les deux ou trois images simples sur lesquelles le cœur, une première fois, s'est ouvert. » Quand, autour de 1960, paraissent les premières études consacrées à l'exégèse de Ionesco, c'est la permanence de telles images à travers une œuvre multiforme qui arrête à présent l'attention. Ce qui avait d'abord frappé, devant ses premières pièces, c'était le pouvoir de contestation violente que recélait son traitement du langage. Cet homme semblait n'être venu au théâtre que pour détruire à la fois le théâtre et la bonne conscience de l'amateur de théâtre. Tous les procédés par lesquels il désarticulait notre mode de parler détérioraient aussi nos habitudes de voir. De l'emploi des mots surgissait un nouvel emploi du temps scénique, un bouleversement des rapports spatiaux, un renvoi dos à dos de la psychologie et de la rhétorique. Et cela dans le décor de notre univers familier rendu étouffant par la prolifération des objets, l'intrusion d'images oniriques. On pouvait croire que le refus radical des formes usuelles du langage et de la vie irait plus loin que la satire des mœurs et déboucherait sur la mise en cause totale des structures sociales dont ce langage et cette vie sont l'expression. Mais il s'est trouvé que, dans ce même milieu du xxe siècle, un autre théâtre était révélé au spectateur français — et parfois (je pense à Jean-Marie Serreau) par les mêmes metteurs en scène —, celui de Brecht, porteur d'une dénonciation fondamentale de notre société. La forme, souvent plus didactique que poétique, de ce théâtre heurta si fort Ionesco que, non seulement il se mit à rompre des lances — « Je n'aime pas Brecht... Il n'est pas primitif, il est primaire. Il n'est pas simple, il est simpliste » — contre l'auteur de *L'Exception et la Règle,* mais se lança à son tour, avec *Tueur sans gages,* avec *Rhinocéros,* dans un théâtre polémique qui lui vaut alors les réticences, puis la réprobation d'une critique — disons : de gauche, qui jusque-là avait suivi son œuvre avec intérêt. Et Ionesco, qui se défend de toute idéologie, voit ses pièces scrutées du point de vue de leur contenu idéologique.

C'est d'ailleurs un point de vue qu'il récuse. Pour lui, une œuvre théâtrale (comme toute œuvre d'art) « est à elle-même sa propre démarche, est elle-même une exploration, devant arriver, par ses propres moyens, à la découverte de certaines réalités, de certaines évidences fondamentales, qui se révèlent d'elles-mêmes, dans le cheminement de cette pensée créatrice qui est l'écriture, évidences intimes... inattendues au départ, et qui sont surprenantes pour l'auteur lui-même et souvent surtout pour l'auteur lui-même. Cela signifie peut-être que l'imagination est révélatrice, qu'elle est chargée de multiples significations que le " réalisme " étroit et quotidien ou l'idéologie ne peuvent plus révéler ».

D'où la conception qu'il se fait de la critique : « Il y a peut-être une possibilité de faire de la critique : appréhender l'œuvre selon son langage, sa mythologie, accepter son univers, l'écouter. » C'est ce qu'ont tenté les analyses qui sont regroupées dans la dernière partie de ce recueil. Il n'est cependant pas sûr que Ionesco accepterait de reconnaître dans sa création dramatique l'ambiguïté fondamentale qu'elles y décrivent.

En fait, la notion même de rupture, qui lui paraît

définir l'attitude première du théâtre, se justifie moins comme opposition que comme affirmation de soi. Son image — curieusement claudélienne — de l'arbre me paraît, de ce point de vue, significative : « La création théâtrale répond à une exigence de l'esprit, cette exigence doit se suffire à elle-même. Un arbre est un arbre, il n'a pas besoin de mon autorisation pour être un arbre; l'arbre ne se pose pas le problème d'être un tel arbre, de se faire connaître comme arbre. Il ne s'explicite pas. Il existe et se manifeste par son existence même. » C'est le côté inébranlable et sûr de soi du personnage. Sûr de soi, malgré une profonde et authentique angoisse existentielle. Sûr de soi, non par rapport au monde, mais par rapport aux hommes. Que signifie d'autre, finalement, le fameux « Je ne capitule pas » de Bérenger? Plus qu'une profession d'humanisme, c'est une affirmation de Ionesco. « Il y a Ionesco, et cela suffit. » La boutade est révélatrice. À lire son discours de réception à l'Académie française, on s'aperçoit bien que ses critiques n'ont en rien entamé l'idée qu'il se fait de lui-même. Tout commentaire lui sera donc marginal.

Parlant de *La Parodie,* de *Tous contre tous,* et de *La Grande et la Petite Manœuvre,* Ionesco a dit un jour que ces trois pièces d'Adamov étaient « d'une vérité objective, d'une lucidité et d'une justesse extrêmes ». Puis, constatant que, sous l'influence de Brecht, Adamov avait changé de manière et renié ces œuvres, Ionesco ajoutait : « Mais c'est l'avenir qui dira, mieux qu'Adamov, si celui-ci a eu raison ou non de les renier. »

Aurait-il pu mieux dire, sans s'en douter, que l'artiste n'est pas forcément le meilleur analyste de lui-même?

Raymond Laubreaux.

Jacques Lemarchand

Préface

Je ne me souviens jamais sans plaisir des murmures de mécontentement, des indignations spontanées, des railleries, qui accueillirent l'apparition, en mai 1950, sur la scène des Noctambules, de *La Cantatrice chauve*. J'avais passé là une soirée extraordinairement plaisante, que les grognements et rires ironiques d'une partie des notables de l'assistance n'avaient fait que rendre plus délicieuse encore. Le propre du grognement est d'être peu explicite; aussi, désireux de comprendre en quoi *La Cantatrice chauve* avait pu déplaire aux notables, j'usai, ce soir-là, d'une technique de la sortie de théâtre que j'avais depuis longtemps mise au point, et que je recommande à qui veut se faire promptement une opinion exacte sur ce que pense un public du spectacle qu'il vient de voir. (La méthode dite « du strapontin » et que pratique M. Stève Passeur au journal *L'Aurore* ne vaut pas pipette.) Voici comment j'opère. Dès le rideau baissé, je crie : Bravo! Bravo! je prends part au brouhaha, et puis je file, je m'éclipse, je me fais tourbillon, je me rue, et j'arrive le tout premier à la sortie du théâtre. Là, demi-tour : je fais face à la foule qui surgit, je remonte à contre-courant le flot des spectateurs; ainsi le saumon la rivière; cela provoque des remous, des encombrements, cela retarde l'évacuation de la salle; je suspends les opérations du vestiaire en feignant de chercher mon ticket; ainsi j'ai tout loisir pour recueillir les plaintes, doléances, expressions de griefs et bons mots acérés qu'un spectacle où ils se sont déplu inspire aux notables. Ce soir-là, ce n'est pas une fois, mais dix fois, ou quinze, ou vingt fois, que j'ai entendu ce bout de dialogue : « Mais enfin, pourquoi *La Cantatrice chauve?* Aucune cantatrice n'est apparue, me semble-t-il, ma bonne amie? — Au

JACQUES LEMARCHAND, *Le Théâtre d'Eugène Ionesco* (préface au tome I du *Théâtre*), © éd. Gallimard, Paris, 1954.

moins je ne l'ai pas remarquée. Et chauve? Avez-vous vu que quelqu'un fût chauve?... Et ce pompier? Que vient faire là un pompier? De qui se moque-t-on? » Il était évident que les notables n'avaient pas « compris »; on leur promettait une cantatrice chauve, on ne leur montrait pas de cantatrice chauve, ils se sentaient volés, ce qu'ils ne pardonnent pas : Ionesco le vit bien le lendemain. Ce fut en vain que j'évoquais, de groupe en groupe, *L'Arlésienne,* insinuant que cette cantatrice chauve était le secret ressort d'une œuvre infiniment mystérieuse, ésotérique, et dont l'auteur était visiblement initié aux secrets des Rose-Croix. Cela n'inquiéta qu'un moment.

Il y a ainsi des gens que leur intelligence embarrasse. Ils la sentent en eux comme un petit renard spartiate; elle est affamée, cruelle, inassouvie; il leur faut sans cesse la nourrir, et ils tremblent à l'idée qu'un jour elle pourra dépérir, sentir branler ses dents; ce sera le jour où ils ne trouveront rien à répondre à sa question maniaque, la question métrique, celle dont on conserve pieusement l'étalon en platine dans les caves du Musée de l'Armée section Philosophie et Beaux-Arts : « De quoi s'agit-il? » Ce sont d'honnêtes gens qui ont horreur des photographies sans légende, des films japonais sans sous-titre et des éclipses de lune lorsqu'elles sont invisibles à Paris. Ils se sentent mal à l'aise, puis vaguement inquiets, et furieux enfin, à la pensée qu'il existe d'autres gens, et qui n'invitent pas toujours le maréchal Foch à juger de la qualité de leurs plaisirs; des gens qui, lorsqu'ils vont au théâtre, ou ailleurs, laissent délibérément leur renard au vestiaire.

Après *La Cantatrice chauve,* les notables furent conviés à assister à *La Leçon.* Ils vinrent, renard en poche; leur renard leur avait expliqué, — il avait enfin compris, — que du moment qu'une pièce, ou anti-pièce d'Eugène Ionesco, s'appelait *La Leçon,* c'est qu'il était question de n'importe quoi, sauf d'enseignement : le renard n'est pas un animal que l'on prend deux fois au même piège; il est intelligent, déductif, ce qui lui permet de comprendre et de prévoir. Aussi fut-il réellement atterré, se sentit-il volé pour la seconde fois, lorsque pendant une heure, au Théâtre de Poche, il assista à la leçon qu'un Professeur, intelligent aussi, et déductif, donna à une petite fille dénuée d'intelligence, d'ambition de comprendre, et qui préfère la mort au savoir. C'était une vraie, une authentique leçon, une « répétition » même, une leçon particulière, exactement calquée, dénouement compris, sur toutes les leçons qu'ont sollicitées et reçues les gens qui veulent devenir intelligents : c'était, à peu de choses près, la reproduction fidèle d'une leçon du maréchal Foch à l'École de Guerre. « De quoi s'agit-il? » demandait le renard à la sortie. « Ben! d'une leçon... », durent avouer les notables. Ce qui n'enleva rien à leur mauvaise humeur. Et comme il fallait absolument expliquer la chose, ils affirmèrent qu'il y a leçon et leçon, ce qui calma pour un temps le renard; mais pour un temps fort bref : *Les Chaises,* puis, tout récemment, *Victimes du devoir,* remirent tout en question : il y avait de vraies chaises dans *Les Chaises,* et pas de pompier brûlé vif dans *Victimes du devoir.*

En acceptant d'écrire cette Préface, ou anti-Préface, au premier volume du Théâtre d'Eugène Ionesco, je sens bien que je me suis mis dans l'obligation d'expliquer les plaisirs non louches, mais bien francs, non d'« intelligence », mais de sensibilité, non d'analyse, mais d'imagination, que j'ai pris à la représentation, puis à la lecture de chacune des œuvres d'Eugène Ionesco. Expliquer un plaisir, analyser les causes d'une dilatation de la rate ou d'une accélération des battements du cœur, voilà qui m'est corvée suprême depuis un déjeuner au cours duquel quelques grandes personnes, que nos rires (elles disaient « ricanements ») énervaient, demandèrent, aux enfants que nous étions, raison de l'hilarité indécente qui secouait notre bout de table. Nous nous fîmes prier. Je dis enfin que nous riions si fort parce qu'une sauterelle venait de tomber dans mon verre, et qu'elle me ressemblait, de profil. Nous nous entendîmes dire que nous étions complètement idiots et que, tout simplement, il ne fallait plus nous mettre à côté les uns des autres, pendant les repas. Depuis lors, j'ai été si souvent sommé de dire pourquoi je riais ou pleurais que j'en ai pris l'habitude. Je peux dire très exactement pourquoi je me plais au théâtre d'Eugène Ionesco. C'est parce que ses personnages nous ressemblent sans cesse, aux notables comme à moi, — de profil, — et que c'est notre propre profil qu'il lance avec verve dans ces aventures imprévues, imprévisibles en apparence, et que nous reconnaissons soudain pour plus vraies encore que toutes celles qui ont pu nous arriver.

Ce n'est pas un théâtre psychologique, ce n'est pas un théâtre symboliste, ce n'est pas un théâtre social, ni poétique, ni surréaliste. C'est un théâtre qui n'a pas encore d'étiquette, qui ne figure encore sur aucun rayon de confection, — c'est un théâtre sur mesure; mais je sens bien que je perdrais la face si je ne donnais pas un nom à ce théâtre. Il est pour moi un théâtre d'aventure, prenant ce mot dans le sens même où l'on parle de roman d'aventure. Il est théâtre de cape et d'épée, illogique comme l'est *Fantômas,* invraisemblable comme l'est *L'Ile au trésor,* aussi irrationnel que *Les Trois Mousquetaires*. Mais comme eux poétique et burlesque, et exaltant, et comme eux passionnant. Il viole constamment, je le sais, « la règle du jeu ». Il est pourtant le contraire d'un théâtre tricheur. Le théâtre tricheur, je le connais sur le bout du doigt, il assaille mes soirées, il est le fait de gens qui connaissent admirablement « la règle du jeu », qui la connaissent avec autant de sûreté que l'escroc connaît le Code : le bon escroc peut toujours en remontrer à M. le Procureur général.

Le théâtre d'Eugène Ionesco est assurément le plus étrange et le plus spontané que nous ait révélé notre après-guerre. Il n'entend en remontrer à personne, ce qui est la chose la moins admissible pour une société faite de sociétés d'engagés volontaires. Il se refuse au ronronnement dramatique, et avec tant de naturel qu'il n'y a même pas moyen de voir une « provocation » — ce qui arrangerait tout — dans ce refus. Je connais aussi fort bien — je ne me vante pas, c'est mon métier, — les auteurs dramatiques naissants qui annoncent qu'ils vont arrêter net le ronronnement dramatique, et qui se mettent aussitôt à ronronner, un peu plus grave, ou un peu plus aigu que les autres, simplement. Ils ne s'inquiètent que de surprendre, — comme s'il était facile de surprendre! Assis dans mon fauteuil de spectateur ou de lecteur, face à Ionesco, je ne devine jamais d'où partiront les coups ni où ils me toucheront, mais je me sens cible, et je constate avec joie que c'est un tireur aussi habile que le fut Buffalo Bill que j'ai en face de moi.

Sylvain Dhomme

[*A l'avant-garde du théâtre*]

Cela fait dix ans que dure l'activité dite des Jeunes Compagnies. Jamais on n'avait officieusement ou officiellement tout sacrifié à l'espoir d'un renouvellement théâtral : attentions, sollicitudes, indulgences, concours, commissions, subventions.

Le Théâtre de Poche, le Théâtre de la Huchette se sont beaucoup loués à d'inconscientes troupes volantes. Il y a eu la vie et la mort du Théâtre de Babylone, il y a le silence forcé de Reybaz, les difficultés de Vitaly à la recherche d'un équilibre moyen, la réussite de Jacques Fabbri dans un genre dont on peut craindre les limites.

À considérer la précarité des réussites, les difficultés d'être et surtout de continuer, la pauvreté des manifestations, on peut être tenté de conclure à la faillite de tant d'efforts et de générosités dépensées pour un résultat si mince socialement.

Ceux qui espéraient la naissance de « maisons » semblables à celle de Copeau, de Dullin, de Jouvet peuvent être déçus. Ils croyaient à un recommencement de l'histoire.

Mais le théâtre a pris un chemin sur lequel on ne l'attendait pas.

Après l'avant-dernière guerre, le théâtre avait précédé la littérature. C'étaient des aventures de techniciens passionnés pour le fonctionnement de leur technique. C'était une extraordinaire exploration, expérimentation,

SYLVAIN DHOMME, *Des auteurs à l'avant-garde du théâtre,* dans *Cahiers Renaud-Barrault,* nº 13, octobre 1955, © L'Action théâtrale, Paris.

nomenclature de tous les moyens du théâtre, souvent à côté des textes, digérant des textes anciens ou s'en créant même d'artificiels pour les besoins de l'expérience. Il a fallu bien longtemps avant que cette recherche passionnée de la forme scénique rencontrât ses auteurs, bien longtemps avant que la scène produise Giraudoux ou s'offre enfin à Claudel qui poursuivait solitaire l'édification de sa chaîne de montagnes.

Au contraire, ce qu'on a coutume d'appeler le « jeune théâtre », soit par hâte, difficultés ou désaffection, a délaissé les recherches techniques ou esthétiques. Occupés surtout à monter des spectacles, sans orientation définie, les animateurs ont réussi par la force des choses à révéler des auteurs.

Et ce sont les noms d'Adamov, Audiberti, Beckett, Ghelderode, Ionesco, Pichette, Schehadé, qui donnent au théâtre de ces dernières années sa figure et son sens et justifient une activité apparemment désordonnée.

La littérature a précédé le théâtre.

Quelque précaires ou imparfaites que furent souvent les représentations de leurs œuvres dans d'inconfortables théâtres, sans moyens financiers ni techniques, pesant bien peu dans la balance commerciale du marché théâtral, l'existence de ces auteurs est un des phénomènes les plus importants du théâtre contemporain. Ils sont la vie et promettent l'avenir du théâtre. Quoique de personnalités diverses, quelles que soient nos préférences particulières, leur ensemble témoigne d'une métamorphose de l'art dramatique, d'une transformation profonde de la matière même de la littérature théâtrale. Ils modifient les rapports qui lient la réalité à sa représentation. Ils sont prêts à réaliser cet accord de la littérature et du théâtre, de la littérature théâtrale et de la pensée qui lui est contemporaine, sans lequel il ne peut y avoir de style.

La littérature et le théâtre.

Il est des époques de déséquilibre pendant lesquelles la littérature et le théâtre semblent tirer à hue et à dia la pauvre scène écartelée. La littérature s'enorgueillit de noblesse, de style et de pensée. Elle fait l'ange, ciselant des dialogues sans théâtre. Le théâtre au nom de « ses pieds sur terre » se ligote dans ses « ficelles », s'enferme dans sa routine, promue au rang de vaniteuses Lois. Il fait la bête pour produire des textes caducs sans littérature.

Primauté du texte? Primauté de la scène? Chacun se croit écrivain roi, acteur roi, metteur en scène roi, éclairagiste roi; les discussions techniques sont des révolutions de palais et tous oublient le théâtre pour n'en revendiquer qu'un fragment. Chacun poursuit la logique particulière à sa spécialité, le courant électrique, le clou, le pinceau, le souffleur ont leur logique, sans compter la logique de la fermeture-éclair, chère à l'habilleuse. À ces divertissements anarchiques, l'indivisible vertu du théâtre se dissout. Se dissout cet univers révélé dans l'exact moment que limitent le lever et le baisser du rideau, univers complet avec sa cosmogonie et son système de poids et mesures; sa fascinante logique de présences contradictoires. Ces rivalités du texte et de la mise en scène, toutes ces disputes de préséance, ces membres hypertrophiés au détriment du corps entier du théâtre ne semblent pas inquiéter les auteurs que nous citions, leur langage procèdent directement du théâtre. Ils semblent avoir assimilé toutes les expériences de nos maîtres du Cartel qui tendaient à rendre à la scène son pouvoir. Un langage qui ne s'arrête pas aux mots, qui implique ces « grossiers artifices » (J. Copeau) par lesquels le théâtre peut rendre évident l'inexprimable. Mettre en scène ces textes ne demande pas de soumettre à la scène un corps qui lui serait un peu étranger ni simplement de mettre en ordre des mots, des bruits, des planches, des objets, des gestes qui ne sont que les catégories diverses d'une même essence.

Cet accord n'est-il pas le signe de la naissance d'un style?

La littérature théâtrale et la pensée contemporaine.

Entraînée dans l'accélération générale, la connaissance que nous avons du monde, des rapports entre les hommes, la connaissance de l'homme même a évolué aussi profondément que la connaissance que nous pouvons avoir des étoiles et de leur gravitation.

Cette image du monde complexe et ambiguë qui nous apparaît aujourd'hui, ne se laisse plus cerner par les anciennes formules.

On nous a enseigné le théâtre à travers les formes extérieures d'une tradition gréco-louis-quatorzième. De l'analyse des grands styles on a voulu tirer des règles, on en a seulement catalogué les formes extérieures. De ce catalogue on a voulu faire un code, tirer des règles de jeu et rassembler, dans le confort d'une unité artificielle, des objets aussi dissemblables que les entrailles de Prométhée et les organes génitaux d'Amélie.

Mais l'homme de Dostoïevski, de Proust, de Faulkner, le héros ambigu qui prend conscience de ses vocations multiples, qui démêle toujours plus difficilement l'écheveau des causes et des effets, se plie mal aux personnages immobiles, pions d'échecs aux fonctions connues que la tradition classe par emplois.

Un monde où se déplacent les frontières du Bien et du Mal, qui découvre ses contingences et ses contradictions, fait grincer la traditionnelle mécanique des intrigues.

Un univers où l'homme se veut responsable de lui-même dans sa solitude ou sa liberté, où il tente de se définir à partir de sa seule existence, ne peut avoir avec les invisibles fatalités dont les cintres olympiens sont traditionnellement peuplés, que peu de sujets de conversations.

Inadéquates à une réalité nouvelle, les soi-disant règles du théâtre qui ne sont que des « ficelles » pour le ligoter craquent depuis plus de vingt ans et Giraudoux les a fait éclater en feux d'artifice. Le ciel en est illuminé pour longtemps. Mais à ceux qui se trouvent après l'éclatement il faut, pour continuer à écrire, trouver les matériaux d'une nouvelle tradition, à un contenu nouveau adapter la forme du contenant. Si nos auteurs étonnent par des bizarreries, des extravagances, ce n'est pas pour briguer le facile éclat de l'originalité mais pour tenter de saisir ces rapports plus complexes que l'homme moderne s'est découvert avec lui-même, son monde, sa société et son univers.

C'est bien là la plus émouvante démarche qu'un art puisse adopter.

Petit précis des auteurs nouveaux.

Ces auteurs promettent au théâtre un avenir multiple. Il y a ceux du Verbe et ceux de l'Objet. Ceux que l'on pourrait dire « poétiques », ceux que l'on pourrait croire « réalistes », si ces deux qualités ne s'entremêlaient pas en eux curieusement.

Ceux du Verbe : Audiberti, Pichette, Schehadé, Ghelderode. [...]

Les autres, ceux des gestes et des objets, ceux qui choisissent pour matériaux l'apparence réaliste de notre vie quotidienne. Mais en déplaçant, distordant, associant ses apparences en un ordre plus significatif que vraisemblable, ils font de cette réalité un matériau nouveau de la poésie du théâtre.

C'est un réalisme pleinement justifié par le besoin que ressentent Adamov, Beckett, Ionesco, de s'expliquer par rapport au monde. [...]

Tels sont les auteurs qui se sont révélés. Ils donnent à leur théâtre des ancêtres nouveaux : Shakespeare, Büchner, Kleist, Strindberg, Tchékhov, nous rapprochent de Brecht, nous font attendre, de Tardieu qu'il dépasse cette timidité qui le limite encore aux gammes et aux exercices, de Weingarten qu'il donne la suite d'une œuvre qu'il avait déjà commencée il y a longtemps avec *Akara,* de Vauthier qu'il surmonte ses difficultés d'exister.

L'existence de ces auteurs est le signe certain de la constitution d'un patrimoine dramatique qui mérite qu'on le fasse fructifier et qu'on le défende. S'ils sont apparus dans le désordre et la pauvreté, il faudrait qu'autour d'eux les forces du théâtre se regroupent pour témoigner efficacement de l'esprit créateur d'une nouvelle génération.

Gabriel Marcel

[Le théâtre de la conscience ricanante

C'est à mon avis un fait très significatif que les principaux représentants de cette avant-garde soient des

GABRIEL MARCEL, *La Crise du théâtre et le crépuscule de l'humanisme,* dans *La Revue théâtrale,* nº 39, 1958.

étrangers déracinés dont on pourrait dire que la pensée se meut dans une sorte de no man's land. Un Beckett, un Adamov, un Ionesco vivent en réalité en marge de toute vie nationale quelle qu'elle soit, et ce phénomène de non-appartenance est lié à certains caractères distinctifs de leur œuvre. Ce sont des nouveaux venus, et il faut entendre par là, ne disons pas seulement ce qui pourrait être trompeur, des déshérités, mais des hommes qui refusent tout héritage. Ils tendent à s'inscrire en faux contre les valeurs communément reçues et aussi contre les exigences techniques auxquelles, jusqu'à nos jours, les auteurs dramatiques ont estimé devoir satisfaire, même lorsque — et c'est bien entendu le cas des plus grands — ils rejetaient les formes dévitalisées d'un académisme théâtral quel qu'il soit. Les œuvres de cette avant-garde sont d'une manière générale des expressions révélatrices de ce que j'ai appelé quelquefois la conscience ricanante. Il faudrait d'ailleurs se garder de croire que les représentants de cette avant-garde constituent rien qui ressemble à un bloc compact, ils sont très différents les uns des autres. Un auteur comme Adamov, sa dernière pièce *Paolo Paoli* en fait foi, porte la marque d'un communisme insidieux qu'Eugène Ionesco, au contraire, rejette radicalement. Si leurs œuvres présentent un commun dénominateur, celui-ci ne se laisse guère formuler que négativement. Ainsi que je le disais, il y a deux ans, au cours d'un débat sur « la Crise du Théâtre », il semble que l'avant-garde rejette successivement tous les critères au nom desquels un jugement sur une œuvre dramatique pouvait être porté : et il faut insister avant tout sur les critères d'ordre intellectuel. J'en vois deux principaux, disais-je. On peut d'abord se demander si l'œuvre dramatique est humainement vraie. Mais ces extrémistes semblent bien porter ce souci de vérité humaine au compte d'un réalisme suranné. Un second critère est celui de la cohérence interne ou de la construction. Il est également refusé sous prétexte que ce qui est construit est artificiel. Mais on montrerait facilement qu'il y a là une confusion et que c'est l'art lui-même que l'on condamne en ne croyant s'attaquer qu'à l'artifice.

Mais il est évident qu'à partir du moment où tous les critères sont rejetés — les critères intellectuels comme les critères d'ordre moral — il n'y a plus de place que pour des réactions subjectives au plus mauvais sens. Toute la question sera de savoir si, en présence d'une œuvre de ce type, on a subi ou non une espèce de choc ou de commotion. Ceci n'a d'ailleurs plus rien à voir avec ce que pouvaient être les réactions d'une critique impressionniste comme celle de Jules Lemaître, par exemple : car cette critique, si elle s'opposait somme toute heureusement au dogmatisme d'un Brunetière, par exemple, reposait du moins sur une immense culture, celle d'un esprit non seulement cultivé, peut-on dire, mais raffiné. Or, le choc — ou la commotion — dont il s'agit ici est précisément exclusif de tout ce qui peut ressembler à une culture. Nous voyons ici s'opérer le retour à une sorte d'état brut. Mais ces mots peuvent encore induire en erreur. L'état brut dont il est ici question est le contraire d'un état d'innocence avec tout ce qu'il peut comporter d'ingénuité, c'est au contraire un état déchu, celui d'une humanité qui expectore ce qu'elle n'est plus capable d'assimiler. Retenons ce dernier verbe. Le théâtre dont il est ici question est un produit de désassimilation.

Rien de plus significatif à cet égard que l'article publié par Eugène Ionesco dans le numéro de février 1958 de la N.N.R.F., sur l'expérience du théâtre [1]. [...]

Ce qui me paraît tout à fait inouï dans ces textes, c'est la désinvolture avec laquelle l'auteur liquide à peu près tout le théâtre qui l'a précédé, sans paraître avoir un seul instant l'idée qu'il devrait peut-être se mettre lui-même en question, que les innombrables spectateurs qui restent les fervents de Molière, les admirateurs d'Ibsen, ne sont peut-être pas de simples fossiles, que l'aberration n'est peut-être pas de leur côté à eux; et que, d'autre part, il est douteux qu'un coup de matraque puisse favoriser en aucune manière cette sorte de nouvelle prise de conscience que l'auteur réclame. Il ne se doute pas que tous les auteurs dramatiques qui comptent, et cela sans exception, se sont proposé d'arracher le spectateur au quotidien, etc. Mais par des procédés un peu plus subtils, un peu plus élaborés que le fameux coup de matraque.

1. Cet article est repris dans *Notes et contre-notes. (Note de l'éditeur.)*

Mais demandera-t-on peut-être, pourquoi insistez-vous si longuement sur ce pseudo-manifeste qui n'engage après tout que la responsabilité de son auteur? J'y insiste, parce que cet auteur a tout de même trouvé un public, parce que depuis plus d'un an, au théâtre, minuscule, il est vrai, de la Huchette, on vient voir et applaudir *La Cantatrice chauve,* et *La Leçon.* Que beaucoup de spectateurs soient exaspérés, je n'en doute aucunement. Mais il y a les autres, et ce sont les autres qui m'intéressent, c'est l'existence de ces autres qui pose à l'esprit une question et, de cette question, on ne se débarrassera pas en mettant ce succès au compte du snobisme. En fait, c'est là un mot qui n'explique rien. Je crois en réalité que nous sommes en présence d'un phénomène très singulier et très inquiétant qui n'est autre qu'une démission de l'homme, un rejet, une nausée si l'on veut, assez différente d'ailleurs de celle qu'a décrite Sartre, et qui s'explique selon moi avant tout par la fatigue, par la saturation. Peut-être faudrait-il penser ici à ce qui se passe quand des réunions — disons des soirées, se sont prolongées jusqu'à une heure indue : ce mot indue me paraît tout à fait significatif. En réalité, on n'a plus rien à dire, on n'en peut plus, mais on n'a pas non plus le courage de se séparer, de faire le petit effort nécessaire pour sortir, pour aller se coucher, et alors, on commence à faire et à dire des idioties. Seulement ici, ce qui est grave, c'est que cette espèce d'état déliquescent éprouve le besoin de faire figure à ses propres yeux, de se justifier, au nom d'on ne sait trop quel apophtegme dont on est bien loin de comprendre le sens initial. Il est vraiment douloureux de penser aux sauces affreuses auxquelles à peu près dans tous les pays, hélas, auront été accommodés les résidus de la pensée heideggerienne, celle d'un homme qui, sur certains points, s'égare peut-être, mais qui, du moins, n'est sensible, en poésie et en musique, qu'à ce qu'il y a de plus profond et de plus grand.

J'ai été littéralement horrifié, lorsque j'ai vu dans un journal, il y a quelques semaines, qu'au Festival de Venise, on représenterait *Paolo Paoli,* d'Arthur Adamov, *Les Chaises,* d'Eugène Ionesco, et *Fin de partie,* de Samuel Beckett. C'est là à mes yeux une simple provocation. [...]

Certes, je suis d'accord avec Ionesco et Beckett pour réprouver absolument tout didactisme au théâtre. Mais ce refus du didactisme ne doit pas se transformer en un didactisme à rebours qui revient au fond à n'être qu'une pactisation avec l'ignoble ou avec le néant. Que l'homme se trouve aujourd'hui en danger mortel, et cela non seulement en ce qui concerne son existence biologique, mais aussi et peut-être d'abord pour ce qui est de son intégrité spirituelle, c'est ce qu'il n'est pas permis de contester; et la pensée de ce péril doit rester présente à l'esprit de quiconque a une responsabilité, si faible soit-elle, non seulement dans les affaires humaines, mais dans la conduite des âmes. Mais dans cette perspective, la pactisation avec le néant dont j'ai parlé doit être condamnée avec toute la rigueur possible. Nous sommes ici au fond en présence d'une des pires formes qu'ait jamais prises le dilettantisme. Je reconnais d'ailleurs qu'il faut ici distinguer entre le cas d'un homme qui a connu la pire misère, les pires disgrâces, — c'est probablement le cas de Beckett, et qui à ce titre a droit à notre compassion et à notre respect, et celui des spectateurs et *a fortiori* des critiques qui viennent chercher dans cette horreur un prétexte à verbiage et à des excitations qui relèvent du pire onanisme mental *.

David I. Grossvogel

[*Ionesco et l'Absurde*]

Donald Watson qui, entre autres, connut la tâche éprouvante de traduire Ionesco en anglais, a groupé

David I. Grossvogel, *The Blasphemers: the theater of Brecht, Ionesco, Beckett, Genet,* ©, 1962, Cornell University Press, Ithaca New York, used by permission of Cornell University Press. (Traduction de Michel Sineux.)

* NB. « Relisant ce texte en mai 1972, j'estime devoir remarquer que certaines pièces récentes de Ionesco s'inscrivent peut-être jusqu'à un certain point en faux contre le jugement que je formulais en 1958. Déjà, dans *Rhinocéros* apparaît une inquiétude d'ordre spirituel, celle d'un esprit de plus en plus sensible aux formes d'oppression qui se multiplient dans le monde actuel. Mais par là, qu'il s'en rende compte ou non, il s'éloigne de plus en plus des ouvrages auxquels je me réfère dans mon article. »

G. M.

les styles linguistiques du dramaturge sous les rubriques suivantes : « banalité, exagération (y compris répétition et inconséquence), absence de logique, déformation et noblesse ». La première d'entre elles, et peut-être la dernière raillent par le truchement d'une parodie prosaïque et impitoyable les aspects superficiels de la vie quotidienne. Le monologue d'entrée de Mme Smith fournit un exemple de cette technique. Les autres rubriques englobent des cas où le langage perd toute signification, même subliminale. Tandis que la banalité et l'emphase linguistiques utilisées dans un but de dénigrement font ressortir le défaut de signification, les autres procédés font valoir l'absence de contrôle intellectuel.

La subversion de la raison peut être partielle ou absolue. Le non-sens peut admettre des normes rationnelles, simplement en les bouleversant. (Dans la conversation entre M. et Mme Smith, ce type de plaisanterie est recherché de deux manières : 1. par l'invraisemblance — « Il est mort ces deux dernières années. [...] Tu te rappelles sûrement avoir assisté à son enterrement il y a un an et demi »; 2. par l'inversion d'une proposition logique — « Il est mort ces deux dernières années [...] Il y a trois ans qu'on a annoncé sa mort. ») Ou encore, le non-sens peut se manifester dans sa forme pure, sans même être justifié par un motif extérieur. Donald Watson se souvient avoir demandé à Ionesco de quoi il s'agissait dans certains passages embarrassants de *Amédée* (1953) et s'être entendu répondre : « De rien du tout, c'est de ça dont il s'agit. Mettez ce que vous voudrez. » Des écarts de cette nature loin de la raison peuvent se produire à travers le processus de dégénérescence de la conversation, lorsque le sens (qui, au mieux, est très mince) se volatilise progressivement avec la disparition des relais intellectifs. Des mots peuvent être également vidés de sens dans des déclarations émises simultanément par des gens dont les propos reposent sur un malentendu, du fait que chacun oppose à l'autre un univers qui lui est impénétrable. En outre, les mots peuvent perdre leur signification quand ils doivent affronter des sons mécaniques dont l'effet est de déshumaniser les mots qui, eux, sont beaucoup plus fragiles. Dans un autre genre de fuite dans la démence, tous les trucs utilisés pour montrer que les mots ne sont que partiellement signifiants, en insistant sur le fait qu'ils sont aussi, pour une bonne part, des sons — calembours, rythme allitératif, invention de mots — peuvent aboutir purement et simplement à des bruits, comme c'est le cas au plus fort de *La Cantatrice chauve*.

Au stade le plus bénin, la subversion du sens va de pair avec la présence insistante et hors de propos d'objets mécaniques, tels l'horloge fantasque dans le living-room des Smith ou l'invraisemblable pompier (« en uniforme, évidemment et [...] portant un énorme casque reluisant »). Ces objets sont simplement incongrus, mais leur incongruité n'est manifeste que dans la mesure où elle atteste que dans un autre univers il y a des horloges qui sonnent à l'heure et des pompiers qui viennent quand il y a le feu. Toutefois, lorsque la déshumanisation du langage oblitère son origine humaine, elle livre la scène à des objets plus sinistres, à ces forces anti-humaines qui n'ont cessé de croître dans la périphérie de l'être humain, comme le cadavre qui grandit sans arrêt et finit par faire irruption dans le décor d'*Amédée* qu'il fait effondrer, comme le déluge d'œufs qui termine *L'Avenir est dans les œufs* (1951), ou le flot ininterrompu de meubles qui finissent par obstruer complètement l'appartement dans *Le Nouveau Locataire* (1953).

Il était inévitable que, tôt ou tard, les pièces de Ionesco, du fait qu'elles avaient été écrites au cours des années qui ont suivi la deuxième guerre mondiale, soient mises en relation avec l'*absurde,* ce climat de l'après-guerre dans lequel se sont épanouis un bon nombre d'auteurs français. Bien qu'à l'époque le concept et la formulation de l'absurde ne fussent pas nouveaux, même dans les lettres françaises, la notion s'en répandit largement grâce à un essai sur l'absurde d'Albert Camus, *Le Mythe de Sisyphe* (publié pour la première fois en 1942), essai qui proposait une « description, à l'état pur, d'un mal de l'esprit ». [...]

L'histoire de Ionesco dramaturge est le récit d'une bataille perdue contre la compassion humaine au théâtre. Avant le moment où le rire du spectateur signifie que l'être humain a cessé d'exister — qu'il est devenu un objet, cet être humain est sur la scène. De pareilles réductions sont éphémèrement concevables ; mais un théâtre fait tout entier d'objets est purement et simplement une contradiction dans les termes et la non-réconciliation de ces termes implique la mort d'un théâtre qui se veut un échantillon authentique de l'absurde. C'est en ce sens que Sartre peut dire : « Rien de ce qui existe ne peut être comique. »

Le rire de Ionesco a troublé les théoriciens résolus à faire de son théâtre une enclave de l'absurde. Les implications de son rire sont multiples. Au niveau du jeu de mots ou de l'allitération, son langage est un jeu de salon dans lequel le spectateur pénètre sans trouble particulier; dans les limites artificielles, mais de bon ton, qui sont celles de la pièce, le spectateur escompte bien garder le contrôle, ce qu'il fait grâce à un rire facile. Conçue comme un simple jeu, *La Cantatrice chauve* dépasse rarement les limites d'un badinage inoffensif, même sur scène, et constitue le modèle de moments similaires que l'on retrouve dans toutes les pièces postérieures de Ionesco. Mais, si ce genre de bouffonnerie mentale est poursuivi jusqu'au point où la communication même se trouve mise en doute, les conséquences du jeu sont changées. Si le passage du sens au non-sens n'est pas prémédité, le spectateur peut s'effrayer : le jeu de salon est interrompu, la réalité fait son intrusion. Celle-ci est de courte durée. La surprise n'existe qu'en tant que déviation soudaine de ce qui est familier; si elle est prolongée ou répétée, la familiarité réapparaît. Si, par exemple, les spectateurs ne peuvent pas trouver davantage de signification à des paroles dépourvues de sens que ne le peuvent eux-mêmes ceux qui les déclament, l'auditoire se détache de ce qui aurait pu être une affirmation momentanée du réel (la surprise devant des mots sans signification) mais que la répétition mécanique a tué. À l'instant de cette mort, la pièce accomplit sa seule revendication valable à l'absurdité, en perdant son cadre de référence : le spectateur.

Frédéric Towarnicki

A la recherche d'un style

La première idée de Nicolas Bataille fut de jouer « comique », mais au bout d'un mois, il fallut admettre que cela ne donnait rien; tout devenait clownesque, mauvais, nul. Ionesco, qui n'avait jamais assisté à des répétitions, était dévoré d'inquiétude. Sa pièce — conçue comme une parodie anti-théâtrale, une machine à désintégrer — était donc un vaudeville sinistre? Une lueur apparut le mois suivant : pour faire comique, il ne fallait pas jouer comique, mais sérieux. « Jouons cela comme du Ibsen, décida Nicolas Bataille, pensons à Hedda Gabbler, un jeu rentré, intérieurement tendu, avec tout le côté malentendu, refoulement. » Et il commanda à Jacques Noël un décor très rococo, verdâtre, assez brumeux. Peu à peu, les acteurs s'étaient rendu compte que dans l'univers disloqué et clos de *La Cantatrice chauve* vivaient deux couples de petits-bourgeois : les Smith, définitivement séparés, et le ménage, en assez mauvais état, des Martin qui, eux, cherchent encore à savoir pourquoi ça ne « marche plus », et qui essaient de faire quelque chose avant de devenir, à leur tour, aussi vides que les Smith. Et pour trouver le style de ces personnages à sang-froid, au flegme britannique, N. Bataille découvrit un autre point d'appui : Jules Verne, Philéas Fogg et les illustrations bourgeoises des Éditions Hetzel — très stylisées! Il se garda de tomber dans le morbide : « La pièce montre bien un abcès de la société, mais elle me paraissait nette comme une opération chirurgicale. » Tout devenait beaucoup plus terrible, si l'on voyait des gens, secs, vides, seuls. Il suffisait de grossir au maximum les effets dramatiques, sans tomber dans la caricature. Ainsi, en trois mois, est né ce style oscillant entre la psychologie et la marionnette — mariage de mécanique et de chair — qui caractérise aujourd'hui encore les

FRÉDÉRIC TOWARNICKI, *Des « Chaises » vides... à Broadway,* dans *Spectacles,* n° 2, s. d. [1958].

représentations du Théâtre de la Huchette et qui fait rire tout Paris.

Il ne restait plus qu'à convaincre Ionesco de changer la fin de sa pièce : la scène devait rester vide jusqu'à ce que des spectateurs se mettent à hurler. Un directeur de salle surgissait alors avec une mitraillette et mitraillait le public : la police arrivait et embarquait tout le monde! Une autre fin fut également rejetée : l'auteur faisait son apparition et montrait son poing au public. Ionesco accepta et adopta l'idée de la reprise circulaire du thème, trouvée, comme le titre d'ailleurs, dans les hasards des dernières répétitions. Pour marquer à la fin l'interchangeabilité des mots, il fit redire aux Martin les répliques des Smith [...]

Avec *Les Chaises,* nouveau départ dans l'inconnu. Il fallut trois mois à Sylvain Dhomme, à ses comédiens, Tsilla Chelton et Paul Chevalier, pour trouver le ton de cette pièce insolite, où tragique et comique se déroulent sur une corde raide. Pièce intérieure, sans doute bouleversante confession de l'auteur, cette œuvre se meut dans un espace indéterminé et presque sans références, où règne une totale discontinuité psychologique et dont les personnages sans identité discernable sont plutôt des champs de force où se manifestent, se croisent, s'annulent de violents antagonismes. Et comment trouver un directeur de théâtre? L'impression générale était que c'était injouable : « Si vous arrivez à mettre ça en scène... » Nouvelles craintes, nouvelles colères de Ionesco aux répétitions : les jeunes comédiens étaient habitués à certaines formes de jeu, la pièce tournait au comique, de nouveau on tombait dans le vaudeville. Dhomme tâtonnait. Ionesco ne voulait couper aucune réplique (le lendemain de la générale, il voulut tout couper)! Il écrivait billet sur billet : « Le théâtre en France est social, psychologique, intellectuel... ou poétique. Il n'y a pas un théâtre exprimant l'angoisse métaphysique. *Les Chaises* sont un essai de *pousser* au-delà des limites actuelles du drame. En littérature, c'est déjà fait... » Dhomme résolut le problème en jouant sur un contraste : si les personnages sont insolites, les rapprocher du spectateur en leur trouvant un style de jeu sensible aux *détails* naturalistes, et créer l'autre dimension par la mise en scène et un décor abstrait. « Pas d'animaux de zoo, disait-il. Ne montrons pas des maniaques, des vieux fous. Essayons d'ouvrir un miroir dans la conscience de chaque spectateur : avant tout, chacun doit reconnaître dans le spectacle ses raisons d'échec, ses raisons d'erreur, ses raisons d'aliénation. » Sylvain Dhomme essaya de se maintenir dans la ligne métaphysique de la pièce, et sa mise en scène, de l'aveu de Ionesco, est l'une des plus fidèles. « Le thème de la pièce, lui écrivait Ionesco, n'est pas le message, ni les échecs dans la vie, ni le désastre moral des vieux — mais bien *les Chaises*, c'est-à-dire l'absence de personnes, l'absence d'Empereur, l'absence de Dieu, l'absence de matière, l'irréalité du monde, le vide métaphysique ; le thème de la pièce, c'est le *rien*... les invisibles doivent être de plus en plus là, de plus en plus réels (pour donner de l'irréalité à la réalité, il faut donner de la réalité à l'irréalité) jusqu'à arriver — chose inadmissible, inacceptable pour l'intelligence — à les faire parler, presque bouger... le rien se fait entendre, se concrétise, comble de l'invraisemblance ! » [...]

Que pensent de [Ionesco] ses metteurs en scène? Pour Sylvain Dhomme, Ionesco est avant tout un indiscutable créateur de faits scéniques, de magie, d'émotion théâtrale. Il ouvre une nouvelle dimension en découvrant une autre base de conflit que les bases morales et sociales du théâtre classique français. « Théâtre non aristotélicien, dit-il, qui a su trouver un langage dramatique et même créer du théâtre à partir du langage... Ce langage discontinu exige d'ailleurs des oppositions, des tensions délicates entre le jeu, la mise en scène... » Pour Nicolas Bataille, c'est un théâtre désintégrateur des vieux clichés, des vieux moules, créateur, par un détour dans l'absurde, d'un regard neuf sur les choses... Pour Jacques Mauclair, Ionesco est l'un des auteurs qui a su briser le cercle du théâtre psychologique : changements continuels de plans dans le dialogue, volatilisation de toute notion précise d'âge et de sexe. « À partir d'une situation élémentaire et banale, dit-il, on peut tout attendre des personnages de Ionesco — alors que, dans la plupart des autres pièces, dès les premières répliques, on a l'impression d'avoir déjà vu jouer trente fois les personnages ! J'ai souvent entendu des spectateurs dire : " Après ça, on ne peut plus aller sur le Boulevard ! " Mais je ne crois pas que le théâtre de

Ionesco exige des recherches scéniques spéciales. On transpose obligatoirement. C'est un théâtre d'aventure intérieure, comme il y a un théâtre de l'aventure sociale. Chacun suit sa trajectoire », conclut Jacques Mauclair.

Pierre-Aimé Touchard

[*Conversion au Théâtre*]

Nul plus que Ionesco n'a la lucidité d'analyser ses propres processus. Dans une conférence, il s'est expliqué avec une parfaite clarté sur la surprise qu'a été pour lui-même la réussite théâtrale de *La Cantatrice chauve,* écrite comme une œuvre de parodie anti-théâtrale. Ionesco, vraisemblablement en raison de la sensibilité suraiguë de ses dons d'analyse, haïssait le théâtre à cause de la grossièreté, de l'impureté de ses procédés. Conscient en permanence des intentions de l'auteur et du dédoublement du comédien, Ionesco souffrait de la contradiction entre leur volonté de créer une fiction et leur impuissance à ne pas manifester leur présence. Chez l'acteur notamment « chaque geste, chaque attitude, chaque réplique détruisait à mes yeux un univers que ce geste, cette attitude, cette réplique se proposaient de faire surgir, le détruisant avant même de le faire surgir ». Une soif violente de fraîcheur et de naïveté lui donnait l'horreur des « ficelles ».

Chose étonnante, c'est Vilar qui, plus tard, le réconcilia avec le théâtre. Je dis *étonnante,* non que Vilar utiliserait plus que ses camarades les ficelles nécessaires, mais parce que, pour une fois, la lucidité d'analyse de Ionesco se trouve en défaut. Il a son chemin de Damas. Il ne voit pas que dans les mises en scène de Vilar, ce qui le séduit, ce n'est pas que le comédien du T.N.P. ait plus de fraîcheur que tout autre, mais simplement cet artifice heureux emprunté par Vilar à Baty, et par Baty à Gémier, aux metteurs en scène allemands et à bien d'autres, cet

Pierre-Aimé Touchard, *La Loi du théâtre,* dans *Cahiers des Saisons,* n° 15, hiver 1959.

artifice de l'éclairage par projecteurs presque fusants qui, sur un fond de velours noir, donnent au personnage une sorte de halo d'irréalité. Il ne voit pas que lorsqu'on se sera accoutumé à ce genre de mirage il faudra que le metteur en scène Vilar découvre un autre « procédé » pour créer une nouvelle surprise. Il ne voit pas qu'il n'y a pas de théâtre sans procédés et sans ficelles et que, précisément, l'authenticité de l'effort théâtral de Vilar a été dans la mise en jeu de procédés qui — provisoirement, car tout s'émousse — ont redonné une apparence de virginité à ses présentations de spectacle. Il me semble qu'il eût pu, chez Dasté, découvrir une vision de théâtre infiniment plus proche de ce qu'il croyait être son idéal, par la recherche *intérieure* de la sincérité, mais Ionesco n'a pas rencontré Dasté, et, d'autre part, le système défensif de Ionesco contre le théâtre était loin d'avoir la sincérité que lui-même lui prêtait, de telle sorte que son erreur de jugement sur Vilar l'a amené à contredire toutes ses théories sans s'en douter et sans la moindre mauvaise conscience.

Prises pour de la fraîcheur et de la naïveté, les « ficelles » de Vilar ont brusquement permis à Ionesco de libérer en lui-même l'énorme besoin d'utiliser son sens étonnant du procédé et de la ficelle, contre lequel il luttait depuis des années en croyant lutter contre le théâtre des autres. Le procédé s'est trouvé réhabilité à ses yeux, et Ionesco, qui n'y voyait jusque-là que mensonge ou grossière approximation a découvert brusquement sa pureté. Il a découvert que le procédé est valable au théâtre parce qu'il est la loi du théâtre. La mise en scène par Nicolas Bataille de *La Cantatrice chauve,* écrite dans « l'intention de tourner le théâtre en dérision » a achevé sa conversion au théâtre : « je me suis mis à l'aimer, à le redécouvrir en moi, à le comprendre, à en être fasciné ».

La lumière de cette révélation l'éblouit. Il comprend que le grossissement — qu'il croyait haïr — est l'essence du théâtre, et que, s'il souffrait des grossissements dans le théâtre des autres c'était simplement parce que « le trop gros n'était pas assez gros, le trop peu nuancé était trop nuancé ». Bref, il en arrive à articuler son propre *Discours de la Méthode : « Si donc l'essence du théâtre est dans le grossissement des effets, il fallait les grossir davantage encore, les souligner, les accentuer au maximum, pousser le théâtre au-delà de cette zone intermédiaire qui n'est ni théâtre ni littérature, c'est le restituer à son cadre propre, à ses limites naturelles.* »

Hildegard Seipel

[*Entre réalisme et surréalisme*]

Toutes les pièces de Ionesco sont ancrées dans la réalité quotidienne. On peut même en définir le milieu : l'univers petit-bourgeois. Certes, de nombreuses scènes étrangères ont joué les pièces de l'auteur dans un décor surréaliste, ou sans décor du tout; toutefois, lors des répétitions de *La Cantatrice chauve,* le metteur en scène reconnaissait qu'« il fallait jouer " l'Anglais sans peine " sur le ton dont nous aurions joué du Ibsen, du Sardou, du François de Curel ». Et, dans cette optique, le metteur en scène fit monter comme décor de *La Cantatrice chauve* le salon d' « Hedda Gabler » [1]. Toutes les indications scéniques prescrivent pour le début des pièces un décor réaliste, intérieur bourgeois anglais, — le cabinet de travail, — une chambre mal tenue, — une salle très dépouillée, — intérieur petit-bourgeois, — une modeste salle à manger-salon-bureau, une place dans une petite ville de province, etc. Le premier acte de *Tueur sans gages* constitue la seule exception; il s'agit d'y évoquer la « cité radieuse » par une lumière colorée. À l'occasion, le décor réaliste est soutenu par un bruitage en coulisse : on perçoit le vacarme de la rue, des bribes de conversation dans la cage d'escalier et dans la rue *(Le Nouveau Locataire, Tueur sans gages, Amédée).*

Dans *La Cantatrice chauve* et dans *La Leçon,* le décor, inchangé, reste l'arrière-plan d'une action qui s'éloigne de la réalité. Dans d'autres pièces, l'auteur soutient le

HILDEGARD SEIPEL, *Études sur le théâtre expérimental de Beckett et Ionesco,* Romanisches Seminar der Universität Bonn, 1963. (Traduction de Michel Sineux.)

---

1. Nicolas Bataille, « La Bataille de la Cantatrice », *Cahiers des Saisons,* 15, p. 247.

déroulement de l'action par des changements de décor, des effets d'éclairage et de bruitage; on peut y voir une influence d'Artaud, dont Ionesco connaissait les théories [2], mais qui, toutefois, ne dépasse pas les expériences qui ont été tentées depuis l'expressionnisme allemand et que l'on trouve même couramment aujourd'hui dans l'appareil technique de scènes relativement modestes. Dans *Le Nouveau Locataire,* les bruits de la rue sont estompés par la musique, tandis que la lumière faiblit de plus en plus (la pièce s'achève dans le noir) [3]. Dans *Amédée,* les bruits cessent au moment où le mort apparaît; la musique retentit, une lumière verte inonde la scène [4]; plus tard, quand il fait nuit, la lumière tombe dans la pièce, de l'extérieur :

« Entre les jeux vus de lumière, d'artifices, et l'aspect macabre de la chambre des deux époux, il y a un contraste frappant. La lumière donne des teintes d'argent aux champignons qui, entre-temps, eux aussi, ont poussé et sont devenus énormes... l'atmosphère de la chambre des époux change un peu de caractère, évidemment, mais, toutefois, l'horrible et le beau doivent absolument coexister [5]. »

Dans *Jacques,* également, où, au début et à la fin de la pièce, la scène n'est que faiblement éclairée, la lumière change pendant la scène de séduction, devenant verte et vitreuse [6]. À la fin du *Tableau* le bureau misérable se transforme en baraque de foire : des fleurs et des serpentins tombent du plafond, des fusées et feu d'artifice illuminent la scène [7]. Pour *Les Chaises,* l'auteur prescrit simplement que la lumière doit augmenter jusqu'à la fin; quand le rideau tombe, la clarté disparaît de nouveau tout d'un coup [8]. Dans *Tueur sans gages,* une lumière aveuglante sur un ciel très bleu doit représenter la ville nouvelle [9], contrastant avec les

---

2. Cf. « Ni un Dieu, ni un démon », *in* « Antonin Artaud et le théâtre de notre temps », *Cahiers Renaud-Barrault,* nº 22/23, 1958.
3. *Le Nouveau Locataire,* p. 188, 193.
4. *Amédée,* p. 283 et suivantes.
5. *Amédée,* p. 289.
6. *Jacques,* p. 93.
7. *Le Tableau,* p. 56.
8. *Les Chaises,* p. 16, 171.
9. *Tueur sans gages,* p. 63.

bruits de la rue perceptibles au début et à la fin du premier acte. *Rhinocéros* conserve pendant toute la durée de la pièce son décor réaliste; à la fin du dernier acte seulement les têtes de rhinocéros apparaissent sur la scène et le bruitage en coulisse est constitué par le piétinement rythmé des animaux qui peut être accompagné d'une musique de marche. Dans *Victimes du devoir,* l'alternance brutale de la lumière et de l'obscurité doit séparer les différents moments des souvenirs de Choubert ou faire apparaître une image : quand le policier parle de Mallot, le projecteur tire son portrait de l'obscurité [10].

En outre, quelques moments surréalistes se détachent sur le décor et sur la scène d'introduction qui sont réalistes, révélant clairement l'influence d'Apollinaire et de Cocteau. Il s'agit parfois de tentatives pour faire comprendre des idées et des événements qui nécessiteraient d'être expliqués par le dialogue ou développés scéniquement : le « Maître » sans tête; la jeune fille virile; les œufs que Roberte pond; la réalisation du rêve de la beauté à l'aide d'un coup de revolver; la représentation de la marche sur les cimes et dans les abîmes de la mémoire (Choubert) par un mouvement de reptation et d'escalade; le dévoilement de l'âme de Choubert par l'apparition du protagoniste sur une petite scène — application psychologique en profondeur du vieux procédé du théâtre dans le théâtre. De manière très simple encore, le fait que Madeleine *(Amédée)* assure son service téléphonique dans sa chambre et que pour faire le marché elle fasse descendre un panier dans la rue doit montrer l'isolement du couple. Ce genre de raccourci devient, dans *Tueur sans gages,* jeu arbitraire, quand l'architecte sort le téléphone de sa poche et établit une communication.

Ceci est vrai également des objets surréalistes que l'on rencontre dans le théâtre de Ionesco. Dans *La Cantatrice,* l'horloge qui sonne dix-sept fois à neuf heures (i.e. tous les soirs sont les mêmes, le temps est disloqué), la pendule, dans *Amédée,* dont les aiguilles avancent de douze heures durant une représentation d'une heure et demie (i.e. : un moyen commode d'éli-

---

10. *Victimes du devoir,* p. 186.

miner le temps dans le drame), l'horloge géante dans *Le Nouveau Locataire* (cauchemar du temps qui passe) : autant de symboles faciles à saisir qui interprètent la réalité par un jeu antiréaliste [11].

Par contre, dans *Victimes du devoir,* lorsque Madeleine apporte tout un tas de tasses à thé, au lieu d'une tasse de café pour le policier, cela n'a aucune signification. Ici, l'auteur a transformé en gag ce qui, dans d'autres drames, était la représentation concrète du pouvoir étouffant des objets. On trouve quelque chose d'équivalent dans *Tueur sans gages,* où certains objets jouent un rôle important, quoique de toute évidence dépourvu de sens; notamment la poche de l'assassin, les innombrables petites boîtes imbriquées les unes dans les autres que recèle cette poche, la photo du colonel. Ce serait une interprétation abusive que d'y voir partout l'illustration du « pouvoir des choses [12] ».

Le rétrécissement de l'espace vital humain par l'action des objets apparaît, chez la plupart des critiques, comme un élément typique des drames de Ionesco [13]. Si l'on y regarde de plus près, il reste trois pièces auxquelles cette observation s'applique et dans lesquelles on trouve ces « organisations spécifiquement chorégraphiques de l'espace » dont parle Marianne Kesting [14]. Dans *Les Chaises* et dans *Le Nouveau Locataire,* ce sont des objets banals (chaises, meubles) qui, du fait de leur entasse-

11. « C'était joli, le théâtre libre! On disait il est cinq heures, et il y avait une vraie pendule qui sonnait cinq heures. La liberté d'une pendule, ça n'est quand même pas ça! Si la pendule sonne cent deux heures, ça commence à être du théâtre... » (Jean Giraudoux, *L'Impromptu de Paris*).

12. Ce que fait, très emphatiquement, Marcel Brion : *Sur Ionesco,* Mercure de France, juin 1959, p. 272.

13. Benmussa, « Les ensevelis dans le théâtre de Ionesco », *Cahiers Renaud-Barrault,* nº 22/23, p. 200 et suivantes; André Muller, « Techniques de l'Avant-Garde », *Théâtre populaire,* mai 1956, p. 27; J. Brenner, « La vie est un songe », *Cahiers des Saisons,* 15, p. 138; M. Kesting, *Das epische Teater,* p. 137; R. Laubreaux, « Situation de Ionesco », *Théâtre d'aujourd'hui,* nº 9, p. 43; Boisdeffre, « Une histoire vivante de la littérature d'aujourd'hui », *Le Livre contemporain,* 1958, p. 657; A. Schulze-Vellinghausen, *Das Abenteuer Ionesco,* Stauffacher, 1957, p. 15. — Ionesco a fait, à l'occasion, des déclarations dans ce sens.

14. Kesting, *Das epische Teater,* p. 137.

ment, deviennent menaçants et grotesques. Certes, on peut les prendre pour des symboles psychologiques — symboles des illusions, des souvenirs... — mais en investissant toujours davantage l'espace et en refoulant l'homme toujours plus loin, ils font de la scène le champ de vision grotesque d'une existence absurde et finalement invivable. Ces objets banals ne paraissent pas seulement distanciés parce que leur nombre est accablant; mais l'aspect oppressant que produisent les chaises réside dans le fait qu'elles restent vides; et les meubles ont l'air comique et grotesque parce que ce sont ceux qui sont légers qui sont en fait lourds à porter, et réciproquement. Ce n'est que dans *Amédée* que l'on trouve des objets surréalistes au sens étroit du mot : dans la pièce, des champignons bourgeonnants, un cadavre qui grandit, tous présents dès le début dans l'environnement réaliste. C'est l'unique pièce dans laquelle Ionesco n'a pas seulement utilisé quelques suggestions d'Artaud relatives au décor, mais où il a réalisé son idée de l' « imprévu objectif », de l' « être inventé, fait de bois et d'étoffe, créé de toutes pièces, ne répondant à rien et cependant inquiétant par nature ». Ionesco fait lui-même référence à l'influence d'Artaud quand il nie la signification magique (au sens de cultuel) de l'invention grotesque [15]. Chez Ionesco aussi, l'événement conserve un arrière-plan grotesque; les objets surréalistes n'ont pas une signification unique; néanmoins, le fait que dans la pièce même l'on parle du mort comme d'une faute montre que dans l'application que fait Ionesco des idées d'Artaud transparaît un processus qui tend vers la psychologie.

Hocke souligne que le monstrueux se rencontre fréquemment dans l'art maniériste : « L'élément paranoïaque que contient le maniérisme de toutes les époques cherche dans le monstre et le monstrueux une incarnation gigantesque de la déformation. » L'auteur montre que

15. « La magie » qu'il (Artaud) propose est, maintenant, puérile, car elle se réduit à des accessoires, mais utiliser ces accessoires en tant que simples éléments adjuvants — ce qu'ils sont — faire parler ou vivre les objets, animer les décors, visualiser l'univers théâtral constituent des trouvailles remarquables de mise en scène dont on peut profiter. » « Ni un Dieu, ni un démon », p. 134.

le caractère primitif qui est lié à de telles représentations relève de l'infantilisme au sens originel, qu'il est un recours aux impressions de l'enfance, aux contes, aux livres d'enfants : « L'infantilisme de certains maniérismes, l'identification dans l'art et la littérature, de constellations intellectuelles majeures à des expériences primitives de l'enfance, trouve, dans cet univers de monstres et de contrefaçons son paysage prélogique favori [16] ». Il est à noter que Ionesco a insisté à plusieurs reprises sur le fait que ses pièces avaient pour fondement des expériences de son enfance et que, ainsi qu'il le dit encore, parmi toutes les représentations théâtrales auxquelles il a pu assister dans sa vie, seules celles du théâtre de marionnettes de son enfance l'ont vraiment excité et enthousiasmé [17]. Si l'élément grotesque et monstrueux d'*Amédée* revêt, ainsi qu'il a été évoqué, un caractère rationnel et psychologique, il est clair que les rhinocéros, dans *Rhinocéros,* ne sont pas des monstres, ainsi que les décrit Hocke, car ils n'ont aucune ambiguïté grotesque. Ici encore, le monstrueux n'est qu'un symbole plaqué pour traduire un événement inhumain. L'innocuité même de cette idée (si ce n'est celle de l'événement travesti par elle!) est prouvée par le fait que Cocteau ait pu lui décerner l'un de ses concepts dramaturgiques clé en la qualifiant de « poésie de théâtre [18] ».

Dans les trois pièces citées, où les événements sont visualisés, il apparaît clairement que cette visualisation qu'Apollinaire et Cocteau essayaient de recréer par jeu, est imposée thématiquement. Plus l'action traditionnelle s'efface au profit de la description d'états et d'événements intimes qui ne s'extériorisent pas dans des actions, plus la difficulté est grande pour l'auteur de montrer ce qui se passe. Il en revient aux jeux surréalistes, pour mettre en évidence l'impuissance non

---

16. Hocke, *Maniërismus I,* 1957, p. 89.

17. Expériences de l'enfance déterminantes pour Ionesco : « Lorsque j'écris... », *op. cit.,* p. 131.

18. Cocteau, dans un article pour la *Düsseldorfer Presse,* en date du 24 octobre 1959, à l'occasion de la première de la pièce. — Dans un discours à la Sorbonne, en 1955, Salvador Dali avait défini le rhinocéros comme le symbole de la nature irrationnelle; cité par Hocke, in *Maniërismus I,* p. 89.

évidente de l'homme[19]; l'exigence esthétique d'un théâtre suggestif et « total » a été réalisée à partir d'un état de besoin fondamental : à savoir la difficulté à représenter scéniquement une situation qui ne permet plus de recourir à l'action ni au dialogue explicatif.

Serge Doubrovsky

[*L'antithéâtre est un théâtre total*]

Si le thème central de la littérature des vingt dernières années est l'absurdité d'un monde où l'homme est seul pour combler le vide de Dieu, donner un nom et un sens aux choses et créer librement, mais injustifiablement ses valeurs, il faut reconnaître que l'expression littéraire, jusqu'à Beckett et Ionesco, était restée bien en deçà de l'intention philosophique. De même que Pascal tentait de ruiner la raison aux yeux du libertin grâce aux vertus d'une dialectique rationnelle, de même Sartre et Camus, dans l'exploration de l'absurde que constituent *La Nausée* ou *Le Mythe de Sisyphe,* se servent d'une langue admirablement logique pour traduire l'illogique, de la nécessité interne des phrases pour exprimer la contingence radicale du monde, et de la littérature pour nier la littérature. Pour exprimer authentiquement l'absurde, il faut inventer le langage de l'absurde, créer des formes qui ne soient pas celles du discours rationnel. « Je rêve d'un théâtre irrationaliste », dit le poète de *Victimes du devoir.* « Un théâtre non aristotélicien? » demande le policier. « Exactement. » Il s'agit donc d'opérer au théâtre la révolution radicale qui a substitué, au XXe siècle, à la logique du tiers exclu les logiques à *n* dimensions, à l'espace newtonien l'espace einsteinien. Un théâtre irrationaliste n'est donc pas seulement un

SERGE DOUBROVSKY, *Le Rire de Ionesco,* dans *La Nouvelle Revue Française,* 1er février 1960, © éd. Gallimard, Paris.

19. C'est *un* moyen; la personnification « allégorique » en est un autre.

théâtre qui attaque les idoles du rationalisme, le progrès-vers-le-bonheur-par-la-science (ce que Ionesco ne se gêne pas pour faire à maintes reprises, de *Victimes du devoir* à *Tueur sans gages*), c'est surtout un théâtre qui soit conçu pour exprimer véritablement l'irrationnel. Le théâtre traditionnel était cohérent, parce que l'homme qu'il présentait était cohérent. De ce point de vue, même des écrivains de l'absurde, comme Sartre ou Camus, restent, dans leur théâtre aussi bien que dans leur style, tout à fait conservateurs. Les pièces de Sartre, notamment, sont des modèles de pièces « bien faites », et *Les Mains sales* est le chef-d'œuvre de ce que Ionesco appellerait le genre « policier ». C'est que l'homme comme source de « Sinngebung », comme distributeur universel de sens et mesure de toutes choses, est intact. Il a beau être la maladie de l'être, c'est un malade qui garde à la fois sa cohésion et sa cohérence. L'expression authentique de l'absurde va exiger une double désintégration, celle de la personnalité et celle du langage.

Le passage déjà célèbre où Ionesco fait dire à Nicolas d'Eu : « Nous abandonnerons le principe de l'identité et de l'unité des caractères, au profit du mouvement, d'une psychologie dynamique... », est un texte capital. Mais l'interprétation en est délicate et il ne faudrait pas ici être dupe de la terminologie de l'auteur. Le langage utilisé est celui de la psychanalyse classique (« psychologie dynamique », « forces contradictoires ») et l'on pourrait être tenté d'interpréter la décomposition de la personnalité que l'on trouve dans le théâtre de Ionesco par analogie avec les manifestations oniriques, l'acte d'écrire constituant une sorte de catharsis personnelle. Mais s'il ne s'agissait ici que de psychanalyse, la rationalité en serait quitte à peu de frais. C'est oublier que la pièce d'où la citation est extraite est précisément une satire aiguë des prétentions de la psychanalyse, dont l'auteur s'amuse à parodier les formules. Dans *Victimes du devoir,* nous voyons le Policier-psychanalyste (avec tout le symbolisme de la ratiocination que le mot « policier » implique chez Ionesco) poursuivre impitoyablement « Mallot avec un *t* » à travers les rêves et souvenirs de Choubert et déclarer : « Je ne crois pas à l'absurde, tout est cohérent, tout devient compréhensible... grâce à l'effort de la pensée humaine et de la science. » Ce manifeste aurait pu être signé par Freud et toute la pièce est là pour en ridiculiser la sottise. « Mallot avec un *t* » reste introuvable ; pour la bonne raison qu'il est impossible de le retrouver : « *Tu ne peux pas* retrouver Mallot », s'écrie notre Policier exaspéré, « tu as des trous dans la mémoire. Nous allons *boucher* les trous de ta mémoire. » Toute la fin de la pièce, avec son crescendo endiablé de manducation et de mastication, découvre, croyons-nous, le thème fondamental du théâtre de Ionesco et illustre le symbolisme du *trou,* analysé par Sartre, dans la dernière partie de *L'Être et le Néant.* Il s'agit de manger pour combler un néant, ici pour donner à la pensée une existence substantielle. Choubert se gave en vain et sa pensée est précisément un vide incomblable. En ce sens, on peut dire que le théâtre de Ionesco est un théâtre ontologique. L'auteur semble l'un des premiers dramaturges à prendre au sérieux l'affirmation que la pensée n'est pas une région de l'être, mais qu'elle est, au contraire, non-être dans le plein du monde. Malgré toutes ses analyses théoriques, Sartre avait conservé à ses personnages des « caractères ». Le Hugo des *Mains sales,* par exemple, peut être décrit comme bourgeois, chétif, idéaliste, inadapté, etc. Il serait très facile de faire une analyse non sartrienne de l'œuvre de Sartre en termes de psychologie traditionnelle. Cela va de pair, évidemment, avec la structure classique de ses pièces. Mais prenons au sérieux l'affirmation que la conscience est un néant, la personnalité, le caractère disparaissent pour de bon. Dans l'impersonnalité radicale de la conscience, rien désormais n'empêche que « *Je* soit un autre ». À cet égard, les commentaires d'A. de Waelhens sur le *on* dans la philosophie de Heidegger pourraient s'appliquer mot pour mot aux personnages de Ionesco : « Le véritable " sujet " de l'existence quotidienne est donc ce *Man* impersonnel, puisqu'en tout moment et à toute occasion il me dicte ce que j'aurai à faire ou à être. *Je* m'absorbe en *lui.* » Il y a donc un vide d'être et une chute dans le *on* qui constituent le péché originel de l'homme. Une pièce comme *La Cantatrice chauve* ne peut se comprendre que comme la mise en œuvre de l'existence humaine au niveau du *on* heideggerien. Les répliques deviennent interchangeables, tout comme les êtres, minés par l'absence. De là le dédoublement perpétuel des personnages : pullulement des Jacques, fils, père, mère, sœur, etc., au nombre de six, identité des Roberte I et II dans *Jacques ou la Soumission,* des Amédée et Madeleine I et II dans *Comment s'en débarrasser* et des Bartholomeus I, II et III dans *L'Impromptu de l'Alma.* Si, par ce procédé caractéristique entre tous du théâtre de Ionesco, on assiste à un continuel jeu de renvoi, jusqu'à l'étourdissement, si les moi peuvent ainsi se substituer les uns aux autres et les répliques se déplacer bizarrement de bouche à bouche, c'est que l'identité du moi et de l'autre est celle du vide. Dans *Les Chaises,* le Vieux et la Vieille, ontologiquement coupés du monde (l'action se passe sur une île), cherchent leur salut dans la communication avec l'humanité. On sait ce qui arrive : sur les chaises où sont assis les invités bée le vide d'une absence indéfiniment répétée et incomblable. L'humanité est un désert où il est même impossible de prêcher (l'Orateur, à la fin, ne peut trouver ses mots). Le Vieux et la Vieille ne peuvent se rejoindre et rejoindre l'humanité que par un double suicide qui les situe fraternellement parmi les ombres.

Dans la perspective métaphysique ainsi définie, le traditionnel « comique de caractère » est remplacé par un « comique de non-caractère ». C'est d'abord le comique du *déséquilibre,* de l'attente trompée, que définissait Kant. On croit avoir un être humain en face de soi, on en trouve un autre, et *vice versa.* D'où un véritable cercle de l'existence humaine, et un comique très particulier qu'on pourrait appeler de *circularité.* Si les personnes sont interchangeables, les destins le sont aussi. Il ne saurait y avoir d'histoire ni d'intrigue, puisque celles-ci supposent une progression linéaire. Il ne peut y avoir là aussi que perpétuel cercle vicieux. La fin de *La Cantatrice chauve* et de *La Leçon* reprennent exactement le début, avec d'autres personnages qui sont les mêmes, tout comme l'entrée de Bartholomeus II reproduit mot pour mot celle de Bartholomeus I. Cet éternel retour n'est pas une éternelle affirmation du moi, comme chez Nietzsche, mais sa perpétuelle négation. Par ailleurs, à l'absence de l'homme correspond la présence envahissante de l'objet. Comme le Roquentin de Sartre découvrait la nausée devant un galet ou une racine, nous découvrons le vide essentiel du sujet devant le règne monstrueux des choses. Le comique de *prolifération,* au niveau des choses, est donc complémentaire du comique de circularité, au niveau humain. Les chaises de la pièce du même nom, les tasses de *Victimes du devoir,* les meubles du *Nouveau Locataire* ou les œufs de *L'Avenir est dans les œufs* se multiplient jusqu'à encombrer et étouffer la scène, le cadavre et les champignons d'*Amédée* poussent sans trêve jusqu'à ce qu'il n'y ait plus de place pour les personnages. Bien que Ionesco soit parfois tenté d'en abuser, il ne s'agit pas là d'un procédé mécanique et facile. Cette croissance géométrique et incontrôlable d'objets pour la plupart de fabrication humaine et qui finissent par chasser l'homme traduit à la fois le vain effort de l'homme pour se donner par une production matérielle insensée l'être qui lui manque et la victoire ontologique inévitable de l'en-soi sur le pour-soi. Les choses sont le cauchemar de la conscience. Le rire reste angoissé. Contre la marée envahissante des choses, contre la dissolution de l'humain, il reste une ultime défense, le langage. C'est à lui que Ionesco va maintenant s'attaquer.

C'est cette attaque qui constitue l'élément le plus visible et le plus meurtrier de son comique. « C'est en parlant qu'on trouve les idées, les mots, et puis nous, dans nos propres mots, la ville aussi, le jardin, on retrouve peut-être tout, *on n'est plus orphelin* », déclare la Vieille dans *Les Chaises.* Comme Claudel, elle croit que le langage opère le mariage de l'être et de l'homme, qu'il constitue un salut, un moyen de repeupler le vide, de combler la solitude, bref qu'il reflète un Logos divin. Il va s'agir de montrer la duplicité et l'échec de la parole à tous les niveaux. Et Ionesco de lui intenter le procès le plus accablant qui ait jamais été. Par elle, nous essayons de couvrir notre vide intérieur et l'absurdité du monde extérieur sous un voile de rationalité. Car la rationalité à laquelle nous nous cramponnons désespérément n'existe que dans et par le verbe, elle en est une création. Insupportables parleurs, les personnages de Ionesco ont tous la passion, la manie de « comprendre ». « Il y a une chose que je ne comprends pas », dit M. Smith dans *La Cantatrice chauve,* « c'est un non-sens... Quand on sonne à la porte, il *faut* qu'il y ait quelqu'un ». « Ça se comprend par un raisonnement mathématique intérieur. On l'a ou on ne l'a pas », déclare le professeur de *La Leçon.* Du Policier-psychanalyste, que nous avons déjà rencontré, au trop humain Bérenger, de *Tueur sans gages,* tout le monde veut comprendre tout et même, ce qui est pis, l'homme. Si les raisonneurs de Molière sont installés carrément dans le langage et se laissent porter par lui au fil du courant logique, ils ont la prudence de se garder des extrêmes et de ne jamais pousser leur instrument à bout. Les raisonneurs de Sade, eux, naïfs ou intrépides, tombent dans le piège des mots et ne craignent pas de porter le raisonnement jusqu'à la limite où il devient délire. Quant aux raisonneurs de Ionesco, ils démontrent que le langage, en son essence, n'a jamais été autre chose qu'un délire systématique. De ce point de vue, le théâtre de Ionesco peut être envisagé comme un traité complet de pathologie linguistique. La combinaison mécanique des termes reproduit l'association automatique des idées. Pouvant dire tout, le langage ne dit rien. Les contraires s'équivalent et peuvent se substituer l'un à l'autre à tout moment : « En somme, nous ne savons toujours pas si, lorsqu'on sonne à la porte, il y a quelqu'un ou non! — Jamais personne. — Toujours quelqu'un. — Je vais vous mettre d'accord. Vous avez un peu raison tous les deux. — Lorsqu'on sonne à la porte, des fois il y a quelqu'un, d'autres fois il n'y a personne. — Ça me paraît logique. — Je le crois aussi. » Les vérités du sens commun sont aussi vides que le *on* dont elles émanent : « On le dit. — On dit aussi le contraire. — La vérité est entre les deux. — C'est juste. » *La Cantatrice chauve,* comme les pièces de Ionesco en général, offre un échantillonnage complet de ce que Heidegger appelle la « parlerie quotidienne », où la stupidité humaine se dépose en formules, dictons et sentences que nous reconnaissons au passage, car ce sont ceux dont se pare notre conversation de tous les jours. Il y a chez Ionesco un observateur, un collectionneur impitoyable qui nous offre le sottisier modèle. Nous y retrouvons toutes les perles. La sagesse des nations, cueillie aux lèvres distinguées des bourgeois ou parmi le caquetage des concierges, les vociférations des agents de la force publique, les clichés des architectes-administrateurs de notre « cité radieuse », la démagogie marxisante de la Mère Pipe comme les slogans « libéraux » de l'Ivrogne, le jargon des critiques et les calinotades des philosophes, et même les formules humanistes qui nous tiennent le plus à cœur, celles du monologue de Bérenger dans *Tueur sans gages* (« Il doit y avoir un point commun, un langage commun... »), tout révèle l'inanité de la logorrhée humaine. Car, détachés, montés en épingle, sertis avec une habileté consommée, entraînés dans une sarabande endiablée par la verve de l'auteur, les mots et les phrases, perdant leur épaisseur, montrent soudain à nu la pauvreté insoutenable de la pensée. Nous nous apercevons non sans désarroi que, pour elle, les mots ne sont pas des systèmes de références ou des points d'appui, mais le tout de la réalité. Enfermé dans son discours, l'homme se croit à l'abri au sein de son psittacisme. Il suffit de nous présenter un instant le langage du *dehors* pour jeter à bas cette fragile barrière. Dès lors, l'imagination du poète achève la débâcle. Alain Bosquet avait compté, avec une remarquable minutie, jusqu'à trente-six « recettes » du comique de Ionesco. Sur le plan du langage, l'auteur témoigne d'une invention et d'une accumulation verbales prodigieuses : calembours, contrepèteries, coq-à-l'âne, équivoques, quiproquos et mille pirouettes saugrenues et cocasses, jusqu'à la décomposition du langage en onomatopées, braiments et éructations divers ne trahissent pas simplement un penchant puéril ou maladif de l'auteur pour les pétarades et feux d'artifice verbaux; ils sont autant de *mises en accusation* du langage, un langage qui se prête à toutes les caresses, toutes les sollicitations, torsions et distorsions, qui peut exprimer les contraires d'une seule haleine et qui se croit l'émanation du Logos universel! Au lieu que les hommes se servent du langage pour penser, c'est le langage qui pense pour eux. Il faut leur arracher ce masque. Après le comique de non-caractère, nous avons le comique de l'anti-mots.

Voici donc Ionesco parvenu à cette totale désintégration, à ce théâtre irrationaliste dont il rêvait. Le cadre de la scène, le corset des mots sont brisés. C'est la révolte du théâtre contre lui-même. Notons toutefois que cette contestation laisse subsister un spectacle qui appelle la présence d'un spectateur. Il y a loin de cet « anti-théâtre » à un « a-théâtre » comme celui de Pichette, où l'action se dissipe en paroles et la représentation en envolées lyriques. Il reste, dans les pièces de Ionesco (et ce trait s'accuse encore dans son œuvre la plus récente, *Tueur sans gages*) une certaine structure, une certaine cohérence théâtrales, qui nécessiteraient à elles seules une longue analyse. Disons pour simplifier que ce qui empêche ces pièces d'être des divagations ou des délires, c'est le poids, la densité de leur réalité, on oserait presque dire de leur réalisme. Car nous refusons d'y voir, pour notre part, une littérature « onirique » ou « surréaliste ». C'est oublier le soin minutieux avec lequel l'auteur souligne, sans en omettre un, tous les détails non seulement du parler humain, mais aussi de ses décors volontairement familiers, « intérieur bourgeois anglais », « cabinet de travail, servant aussi de salle à manger », « un vieux fauteuil poussiéreux, au milieu de la scène, une table de nuit », etc. Même dans les pièces les plus fantastiques et farfelues, comme *Jacques,* le cadre demeure résolument quotidien. Ce qui doit basculer, chavirer, perdre ses amarres, tel le Bateau Ivre, c'est le *réel,* car, selon les propres mots de l'Architecte de *Tueur sans gages,* « la réalité, *contrairement au rêve,* peut tourner au cauchemar ». Si l'on considère ce théâtre comme onirique, il perd son efficace, il est neutralisé. Au contraire, une fois pulvérisée la barrière du langage, le réel assume soudain un caractère monstrueux. Il y a là une expérience analogue à celle que Sartre décrit dans *La Nausée,* encore plus radicale. Car loin qu'on s'élève alors à un surréel (le surréalisme, ne l'oublions pas, est optimiste et entend rénover et ressusciter l'homme par l'imagination), il y a bien plutôt glissement dans l'*infraréel.* Le langage articulé se défait et redevient syllabe, cri, souffle. Tout rentre au sein du magma primitif et de l'absurdité première. Face à face avec le Tueur, Bérenger aux abois cherche avec la Mort la confrontation ultime que le Bûcheron de La Fontaine s'était empressé de fuir; mais Bérenger ne saurait produire une seule raison pour que le Tueur l'épargne. Il est fondamentalement coupable de chercher des raisons là où il n'y en a pas. Il est victime de sa tragique passion de comprendre, car son rêve de rationalité rend d'autant plus pénible sa rencontre avec l'absurde. On trouve chez Ionesco un sentiment envahissant de culpabilité. Mais il ne s'agit pas, comme certains l'ont cru, de la culpabilité intime de l'auteur, entendue à la manière freudienne, il s'agit de la culpabilité essentielle, ontologique de l'homme, celle de l'auteur et la nôtre. Ainsi se définit un *théâtre total,* total non parce qu'on lui ajouterait des bribes de cinéma, de chant ou de ballet, mais parce qu'il implique totalement le spectateur dans le spectacle. Puisqu'il s'agit de la réalité humaine et que les acteurs ne sont personne en particulier, ils sont précisément *nous,* et ce qu'ils jouent, c'est *notre* drame.

Simone Benmussa

[*Espace et temps dans le théâtre de Ionesco*]

L'œuvre de Ionesco est comme l'horloge des Smith dans *La Cantatrice chauve :* elle marque 9 heures, sonne 17 coups, quand il est 6 heures. Il ne faut pas croire ce théâtre insensé, incompréhensible et qu'une fois admis l'illogisme on doive s'en débrouiller et en rire comme on peut. [...]

L'œuvre de Ionesco est à la littérature classique ce que la géométrie de Riemann, ou celle de Lobatchevski, est à la géométrie d'Euclide. Elle n'est pas fausse, elle est autre. Tout aussi bien construite, elle peut partir de ce postulat : par une phrase donnée, peut passer un faisceau de vérités qui se rencontrent.

Admettre un théâtre euclidien, comme celui de Montherlant, par exemple, obéissant à tous les postulats et axiomes non démontrés mais admis, ne nous retire pas le droit d'accepter, aussi, comme vrai le théâtre non euclidien de Ionesco. Il ne faudrait pas pousser trop loin cette comparaison car, dans la mesure où Ionesco démystifie le théâtre conventionnel, il reste sur le même plan que lui dans le déroulement de l'histoire du théâtre. Il poursuit, en effet, en la dépassant, la révolution amorcée par le surréalisme. Mais par contre il se libère de l'histoire car on trouve dans ses pièces une sorte d'actualité intemporelle : s'il veut abattre les mythes sociaux,

SIMONE BENMUSSA, *Les ensevelis dans le théâtre de Ionesco,* dans *Cahiers Renaud-Barrault,* nº 22/23, mai 1958, © L'Action théâtrale, Paris.

en se plaçant à l'intérieur de la société actuelle et en la décomposant, c'est pour retrouver les mythes éternels, extra-sociaux, qui se rencontrent à l'infini comme les courbures géométriques de Riemann.

Le temps dans les « anti-pièces » de Ionesco contient une équivalence des moments, une simultanéité des époques de la même façon que les phrases contiennent une équivalence et une simultanéité des vérités. La scène de séduction de *Jacques ou la Soumission* en est un exemple : Roberte se décrit à Jacques comme une eau croupissante, un « collier de boue ». Elle montre dans la description de son corps toute l'atmosphère lointaine de la vie conjugale, l'enlisement dans le marécage quotidien. Elle parle dans le futur avec les tristes mots qu'elle aurait si elle se souvenait d'un passé raté à deux. L'avenir ne peut être que sale car il est l'aboutissement d'un devenir qui s'encrasse dans les moments égaux, sans couleur, semblables, du quotidien. Jacques, extasié, répond dans le présent, n'entendant pas l'état final qu'elle décrit : « C'est charmant » car toujours une fiancée est d'abord « cha-a-armante ».

Ainsi Ionesco matérialise-t-il le temps dans les dialogues comme il matérialise, afin de les grossir, les vérités dans les objets. Il nous parle de la réalité comme à des enfants à qui l'on apprend à compter des nombres abstraits avec des bâtons de bois. Quand Choubert a une inspiration mystique élevée, il monte sur la table (dans *Victimes du devoir*), l'atmosphère se pourrit entre Amédée et sa femme *(Comment s'en débarrasser)*, des champignons pousseront sur les murs. Le cadavre (dans cette même pièce) grandit démesurément, faute mal définie, souvenir d'un péché lointain, il pousse les meubles, accule les personnages contre le dernier mur de la maison et les oblige à se débattre vainement.

Il n'y a pas là qu'un enfantillage. Antonin Artaud avait écrit sur ce qu'il appelait « l'imprévu objectif » : « Ce qui me paraît devoir le mieux réaliser à la scène cette idée de danger est l'imprévu objectif, l'imprévu non dans les situations mais dans les choses, le passage intempestif, brusque, d'une image pensée à une image vraie ; et, par exemple, qu'un homme qui blasphème voie se matérialiser, brusquement, devant lui, en traits réels, l'image de son blasphème. » Il n'y a pas d'événement dans les pièces de Ionesco, le danger s'installe dans les idées mortes transposées dans les objets qui poussent l'action vers une situation stagnante, sans issue. Dans *Jacques ou la Soumission,* Jacques essaie de temps en temps de se révolter contre les pommes de terre au lard, mais cette révolte n'est que bouderie. On sait d'avance qu'il capitulera car la jeune fille qu'on lui propose se présente en robe de mariée avant qu'il n'ait accepté. L'inquiétude pour le spectateur réside dans la vision matérielle qu'il va avoir de l'étouffement de Jacques dans l'étau familial. Cette indécence qui caractérise les familles présentant deux futurs époux, ce marché où l'on vante la marchandise, ces jalousies de mères toujours prêtes à s'évanouir, ces plaisanteries gaillardes des pères toujours joviaux sont matérialisés par le comportement des deux familles flairant la mariée, la reniflant, la touchant, soulevant ses jupes (le premier geste d'une petite fille envers sa poupée est de vérifier si elle porte bien une culotte). Ionesco traduit dans les gestes de ses personnages toute l'obscénité de telles habitudes sociales qu'on finit par ne plus voir.

Ces objets comme les morts sont atteints de « progression géométrique », maladie rapidement écrasante, inquiétante du cadavre de *Comment s'en débarrasser.*

Artaud écrivait dans *Le Théâtre et son double :* « Un autre exemple serait l'apparition d'un Être inventé, fait de bois et d'étoffe, créé de toutes pièces, ne répondant à rien, et cependant inquiétant par nature, capable de réintroduire sur la scène un petit souffle de cette grande peur métaphysique qui est à la base de tout le théâtre ancien. » Il ne s'agit plus d'un animisme rassurant, venant du spectateur et donc à sa mesure, tel que nous l'a légué le romantisme, l'objet possède une vie propre qui se rapproche plus du règne végétal que du règne humain. On a beaucoup parlé de cette prolifération des objets chez Ionesco, ils poussent comme des champignons, comme de la mousse. Ils sont doués d'une vie aveugle mais dirigée par l'instinct d'ensevelir une vie qui progresse sans repos, encombrante, puis oppressante, enfin criminelle sans crime car elle enterre sans tuer.

Comme une forêt qui s'épaissit, dont les arbres desséchés poussent encore car ils vivent dans leur mort.

L'œuvre de Ionesco nous rappelle le conte de « La Belle au Bois dormant ». La forêt ensevelit la princesse tout doucement en poussant toujours plus avant sa mort au bout de ses branches de bois sec. Comme la plante, l'objet se dédouble, pour obséder, pour se montrer sous toutes ses faces, il se démultiplie. Possédé par une telle vie, il manifeste une véritable impatience à se montrer. Si on l'éloigne de soi, il reprend ses proportions normales, ses faces rentrent dans l'ordre, il s'apaise. Ionesco nous montre tout de très près, grossit démesurément les détails du réel. Sa vision se rapproche de celle de l'enfant dont le monde est composé d'objets qui bougent, qui roulent. L'enfant essaye maladroitement mais avec une attention extrême de les faire tenir en place tout en désirant et provoquant un nouvel assaillement des objets.

L'importance accordée à l'objet fait partie du réalisme de la littérature contemporaine. Mais quelle que soit cette importance, l'homme reste le maître de l'univers d'objets anodins qui l'entoure; il garde ses distances. La vision de Ionesco se singularise car l'objet y joue un rôle indépendant, il ne s'intègre pas dans le monde humain, c'est l'homme, au contraire, qui doit se soumettre à ses lois.

Chez Kafka, les objets *entassés* systématiquement, en ordre, par la manie des hommes font naître l'impuissance et l'incompréhension. L'entassement des dossiers officiels dénonce l'absurde des décisions administratives. Ainsi les fonctionnaires entasseurs trouvent dans leur rôle l'autorité, la puissance, la beauté de leur classe sociale et construisent pour les autres des murs réguliers. Le maire dans *Le Château* décrit avec lyrisme ce grondement d'orage que font les dossiers s'écroulant perpétuellement dans les bureaux des administrateurs. Le monde de Ionesco, par contre, est encombré d'objets qui poussent sans l'intervention des hommes, comme en silence et en désordre. Les inspecteurs dans *Le Procès* ont enlevé les sièges de la pièce où ils se trouvent pour obliger Joseph à rester debout, seul l'inspecteur principal est assis. Les piles de papier dans *Le Château* symbolisent la cage dont *les autres* entourent K. Il s'agit donc d'un phénomène d'injustice indépendant de K., qui lui est extérieur, avec lequel il garde une certaine distance. On retrouve, d'ailleurs, souvent ce thème de la distance dans l'œuvre de Kafka. Au contraire, il semble que ce soit la *promiscuité* des objets et des personnages qui caractérise l'œuvre de Ionesco. Il décrit fidèlement un état intérieur envahissant, hypertrophié, asphyxiant, qu'il traduit en langage-objet sur scène (c'est à travers son monde qu'il retrouvera les autres). Un champignon pousse dans le cœur de ses personnages, Ionesco mettra un champignon sur scène, dans leur salle à manger. Il s'ensuit un encombrement de l'espace scénique équivalant à l'encombrement moral.

Ainsi se crée une sorte de rétrécissement lent de la situation dans l'espace : Il ne reste au « nouveau locataire » que la superficie de son fauteuil pour se mouvoir. Dans *Les Chaises,* les deux vieux juchés chacun sur une chaise trouvent ensuite une position plus exiguë sur le rebord de la fenêtre. Rétrécissement aussi de la société qui aboutit à sa représentation la plus étroite : la famille, le couple. Enfin, rétrécissement mental de l'homme jusqu'à son état de petit enfant. Tous les personnages participent à leur ensevelissement, y aident avec candeur et timidité. [...]

Ionesco décrit la dérision de la réalité qui s'effrite entre les doigts comme une poignée de terre; dans le même temps il s'étonne et s'émerveille de chaque grain de poussière qui l'enterre. Il y a une espèce de nostalgie de la lumière dans cette asphyxie.

Maurice Lécuyer

La précédence du verbe

La linguistique considère, comme on sait, la langue comme moyen de communication entre les hommes d'un même groupe linguistique, fondé sur un système phonique cohérent de nature symbolique, mais dont le

MAURICE LÉCUYER, *Ionesco ou la précédence du verbe,* dans *Cahiers Renaud-Barrault,* nº 53, février 1966,

symbolisme est entièrement arbitraire. La communication a lieu grâce au sens du discours, sens lui-même rendu possible par la communauté de l'expérience humaine. Ce symbolisme du langage a été présenté par le linguiste suisse de Saussure sous la forme du *signe* constitué par les deux aspects inhérents à sa nature, ou ses deux faces, à savoir le *signifié* ou concept, notion d'ordre purement psychique ou mental, et le *signifiant,* image acoustique (mot ou groupe de mots), c'est-à-dire phénomène matériel relevant de l'anatomie, de la physiologie et de la physique. Les deux éléments du signe (signifié et signifiant) sont intimement unis et s'appellent l'un l'autre. L'étude du langage selon la linguistique admet aussi que la parole (phénomène individuel) se conforme à la langue (phénomène collectif) qu'elle emploie en tant que porteuse de sens grâce aux signes dont elle se compose. Mais cette fonction de communication du langage est susceptible de déviations pathologiques. En effet, que va-t-il se passer si la parole ne joue plus le jeu, si le signe se divise, perdant ses propriétés comme la molécule chimique réduite à ses atomes, si le signifié quittant son signifiant se combine à un autre signifiant qui aura lui-même décollé de son signifié? Deux choses peuvent, en gros, se produire : ou bien ce signifiant va adhérer de façon assez naturelle à son nouveau signifié (c'est ce qui se produit couramment dans l'emploi métaphorique des mots), ou bien ce signifiant va faire violence au signifié auquel il est accouplé et la communication de sens entre locuteur et auditeur n'aura plus lieu. Violant les conventions arbitraires mais acceptées de la langue, cette parole va faire figure de monstre et être rejetée comme incompréhensible. Parfois cependant son message est compris malgré cette permutation de signifié et de signifiant grâce à un contexte suffisamment clair. [...]

Dans la pièce de théâtre traditionnelle, en effet, il s'agit pour l'auteur de présenter au public une action où ce dernier puisse se retrouver et se reconnaître, c'est-à-dire reproduire la réalité, même si, en ce faisant, l'auteur colore cette réalité des teintes de sa vision du monde. L'auteur va donc faire parler et agir ses personnages *comme si* ceux-ci étaient libres. Ils seront donc censés penser, sentir, agir d'abord, exprimer leurs pensées, leurs sentiments, leurs projets ensuite, autrement dit, là comme dans la vie courante, l'existence de leur psychisme précédera le phénomène de son expression. En termes de linguistique, le signifié précédera le signifiant. [...]

Que va-t-il se passer si, au lieu d'offrir un dialogue et un texte cohérents, c'est-à-dire qui maintiennent la précédence du signifié sur le signifiant, l'auteur se livre aux permutations dont il a été question plus haut? Le faux signifiant va imposer son faux signifié au public, et plus la permutation sera violente, plus incongrue sera la situation. Il en résultera un monde sens dessus dessous, à mi-chemin entre la folie et la terreur; ce monde, c'est celui de Ionesco : le signifiant précède le signifié. Imaginons un dramaturge « réaliste » qui nous montre un jeune homme de bonne famille, mais têtu et s'opposant à ses parents qui veulent le marier. On lui présente la future. L'auteur la décrit ainsi dans ses indications scéniques : « Elle est toute souriante et a deux fossettes; murmures d'admiration. » Modifions un des termes de la phrase et au mot « fossettes » substituons le mot « nez ». La phrase se lit ainsi : « Elle est toute souriante et a deux nez; murmures d'admiration. » Le lecteur peut penser à une erreur d'imprimerie, ou à une mystification, ou à une intention parodique. Dans le premier cas, il rétablit le mot correct, « fossettes » par exemple. Dans le second cas, il restera interdit, dans le troisième, il s'esclaffera.

Imaginons maintenant que le metteur en scène prenne le mot donné à la lettre : il va donc, au lieu de corriger le signifiant, lui donner son signifié correspondant, tel que la langue l'oblige à le faire; il présentera sur la scène une jeune fille souriante avec deux nez. L'art du maquilleur résoudra le problème. C'est ce qui se passe justement dans *Jacques ou la Soumission*. L'effet est d'autant plus frappant que le spectateur se trouve en face d'un monstre physique dont il ignore l'origine s'il n'a pas lu les indications scéniques, et non pas simplement confronté avec un dialogue rempli de ces permutations qui ne déclenchent que des représentations mentales restant virtuelles. Le monstre physique de Ionesco a pour origine un fonctionnement défectueux, non des gènes, mais de la langue dans la parole. On voit donc, grâce à ce phénomène tératologique, le véritable pouvoir créateur de cette dernière. La création de monstres chez notre auteur est due à un accident inhérent à la nature du signe linguistique. [...]

Nous signalerons des cas où ce n'est plus le linguiste qui opposera une fin de non-recevoir, mais le logicien. Par exemple :

Je ne le savais pas, je m'y attendais. Je savais que c'est une courageuse enfant. (*Théâtre* II, p. 249.)

Les deux premières propositions s'opposent dans leur signifié. Mais remplaçons le signifiant *savais* par *ignorais* et nous aurons deux propositions dont les signifiés coïncideront. La contradiction sera remplacée par une quasi-tautologie et la logique y trouvera son compte. Ainsi que des monstres biologiques, la parole chez Ionesco crée des monstres logiques tout court. L'humiliation ressentie par le spectateur dans sa dignité corporelle d'homme, à l'apparition d'un visage à deux nez, va se doubler d'une mortification dans sa fierté intellectuelle à l'audition de paralogismes grotesques. [...]

Si nous nous tournons maintenant vers les sciences sociales (sociologie et ethnologie), nous verrons qu'elles peuvent, elles aussi, rendre compte de la primauté du verbe sur l'intelligence dans le monde ionesquien. Sociologues et ethnologues considèrent le langage ou plutôt les langues qui le concrétisent comme un instrument qui rassemble les individus et le ciment qui les maintient liés dans une société donnée. C'est pourquoi ils les étudient afin de découvrir des phénomènes propres à chacune (vocabulaire, structure des phrases) qui montrent que les langues ne sont pas réductibles l'une à l'autre, et que les concepts, les valeurs, le découpage de la réalité varient d'un groupe linguistique à un autre. Ils admettent donc que ces concepts, ces valeurs sont pleinement sentis par ceux qui les expriment et que, par exemple, entre deux synonymes, l'auteur dramatique saura choisir au nom de son protagoniste celui qui convient, non seulement parce qu'il est « le mot juste », mais aussi parce qu'il est doué du pouvoir affectif qui déclenchera chez son interlocuteur et par ricochet chez le spectateur l'effet qu'il en attend. On sait que de cette situation naissent les difficultés posées par les traductions dans d'autres langues. Chez Ionesco, en revanche, le langage ayant éclaté, peu importe qu'à l'origine celui-ci ait été actualisé dans la langue française. Ionesco ne fait nullement le procès de celle-ci, il met en accusation l'homme qui se laisse dominer par elle, par sa forme sans sa substance, par la lettre sans l'esprit, et au-delà donc par toutes les langues. On peut expliquer ainsi le succès mondial de ce théâtre, où l'homme, conditionné par les slogans publicitaires et la propagande politique, s'est reconnu et a réagi.

Que les formules quasi automatiques de politesse, les phrases banales que chacun prononce à chaque instant, les clichés, les slogans du jour, les phrases passe-partout, soient ceux qu'on entend en France parlés en français ou dans les pays civilisés du monde entier dans leur langue respective, peu importe. La vertu du dialogue ionesquien est justement de transcender la spécificité de la langue originale dans laquelle il est écrit. Ce qui importe n'est plus la beauté, l'harmonie, la vigueur, tout ce qui constitue le caractère irremplaçable des mots et des phrases dans une langue donnée, mais l'usage incontrôlé que l'homme fait de formules, de sentences, d'« idées reçues » qui sont de tous les temps et de tous les pays. Et la démonstration par l'absurde, grâce à ces logorrhées, ces formes tératologiques, n'a pas, elle non plus, à recourir à l'habit d'une langue particulière, elle est tout entière contenue dans ces phénomènes, l'incohérence et les formes pathologiques du langage se retrouvant dans toutes les cultures. Assimilables à des microbes pathogènes, les mots incontrôlés produisent des conduites aberrantes qui insultent l'intelligence et suppriment le jugement.

C'est donc le spectacle d'une humanité réduite à des réflexes conditionnés que nous offre le théâtre de Ionesco. Mais tandis que, dans la comédie traditionnelle, l'auteur fait rire son public, soit au détriment d'un personnage chez qui éclate tel ou tel vice (les exemples abondent chez Molière), soit par l'emploi d'un coquin sympathique avec qui le public peut s'identifier dans sa lutte avec plus fort que lui (Falstaff, Guignol qui rosse le commissaire, etc.), le théâtre de Ionesco ne recherche pas la complicité de son public. Il le met en présence de sa condition actuelle, aussi terrifiante de conséquences peut-elle être.

Jean Vannier

Le langage et la terreur

À partir du moment où le langage devient l'objet d'une problématique théâtrale, il n'est plus une chose qui va de soi : les portes sont ouvertes à une critique de sa valeur, et c'est pourquoi la destruction du langage est une des directions majeures de ce courant d'avant-garde. Le drame de la parole ne sera donc ici qu'un drame de l'absurdité, et le théâtre de langage, en détruisant son objet, deviendra un *Anti-Théâtre :* dialectique dont nous observons justement les conséquences dans toute l'œuvre de Ionesco.

Cette œuvre — on l'a souvent noté — semble dominée par une obsession fondamentale qui est celle du *lieu commun.* En ce sens, c'est à un langage bien déterminé qu'elle s'attaque : le langage, tout en clichés et en formules reçues, qui est celui d'une société aliénée, et qui est le nôtre aussi, dans la mesure où nous appartenons à cette société et où la bêtise qu'elle sécrète, quels que soient nos efforts pour nous en libérer, contamine malgré nous tout notre comportement quotidien. Tel est bien ce langage petit-bourgeois dénoncé par Ionesco dans la plupart de ses pièces. Quelle que soit la diversité des procédés dont il use pour le tourner en dérision [1], ces

JEAN VANNIER, *Langages de l'avant-garde,* dans *Théâtre populaire,* nº 18, 1er mai 1956, © L'Arche, Paris.

---

1. Tantôt les lieux communs se dénoncent eux-mêmes par leur prolifération insolite (cf. le début de *La Cantatrice chauve*) — tantôt ils s'annulent sous nos yeux par leurs contradictions mêmes — tantôt encore, Ionesco les farcit d'expressions aberrantes ou louches : cf. *Jacques :* « j'ai mis au monde un mononstre », « je n'ai pas à faire ici son égloge », « élevé sans reproches, comme un aristocrave » « je veux demeurer digne de mes aieufs », etc. Tantôt enfin, Ionesco use du procédé courant qui consiste à parodier une

procédés consistent tous, finalement, à réaliser une sorte de passage à la limite, dont la fonction n'est jamais d'ôter son sens à un langage préexistant, mais d'obliger celui-ci à nous dénoncer lui-même son absurdité. Car en somme, il n'y a pas plus de sens dans l'expression petite-bourgeoise selon laquelle « qui vole un œuf vole un bœuf », que dans celle que prononce un des personnages de *La Cantatrice chauve :* « celui qui vend aujourd'hui un bœuf, demain aura un œuf ». La seconde expression tend seulement à enlever tout alibi à la première : puisque nous ne pouvons plus l'écouter sans l'entendre, ce langage *creux* nous révèle ici son essence, qui est justement de « parler pour ne rien dire » : formule bavarde d'un silence de la pensée. Et en même temps que son essence, c'est sa fonction sociale qu'il nous montre : ce qui fait du lieu commun, non seulement un accident inoffensif de langage ou un phénomène passager d'inanité sonore, mais encore le produit d'une classe enfermée dans sa singularité ou encore — comme c'est généralement le cas chez Ionesco — celui d'une cellule familiale parfaitement étanche à l'histoire. Parler par lieux communs, en ce sens, c'est accepter un langage purement formel où les significations sont dévorées par les signes; c'est s'intégrer à une communauté qui ne peut plus fonder sa cohésion, comme la famille de *Jacques* où il est entendu qu'il faut aimer les « pommes de terre au lard », que sur des *formules* privées de sens. Tournant à vide, coupé de toute vérité, le langage petit-bourgeois nous « dit » donc pourtant quelque chose : la reconnaissance purement rituelle d'une certaine servitude commune, la *soumission* à un Ordre qui ne se définit que par ses « mots d'ordre ». En dénonçant ce langage, Ionesco nous en libère par là même.

Mais cette critique d'un langage aliéné ne doit pas nous tromper sur les intentions qui la commandent : la dérision du langage petit-bourgeois, chez Ionesco, n'est que l'aspect le plus immédiat d'un dégoût généralisé du verbe. Toute son œuvre témoigne en ce sens d'une même volonté : celle de réduire le langage à l'absurde,

---

locution connue en déformant ou en inversant ses termes : « c'est dur, mais c'est le jeu de la règle », « montre-toi digne sœur d'un frère tel que moi », etc.

en le considérant comme une pure matière sonore, et en vidant systématiquement cette matière des significations qu'elle est chargée de véhiculer [2]. Or, si une telle démarche a une valeur de révélation tant qu'il s'agit d'un langage de lieux communs, puisque ceux-ci ne présentent jamais qu'une simple apparence de sens, elle devient arbitraire à partir du moment où il s'agit d'un langage authentique, d'un langage dans lequel certaines significations cherchent réellement à se formuler. Ou plutôt, elle ne nous renvoie plus alors qu'à la subjectivité d'un choix profond : celui qui consiste à considérer tout langage du dehors, à se mettre en situation d'*étrangeté* devant la parole humaine. Il est toujours possible, en effet, de réduire un langage quelconque à son simple substrat sonore : mais cela suppose d'abord qu'on ait refusé d'y entrer, c'est-à-dire de se placer à l'intérieur de la pensée qui tente de s'y exprimer. C'est précisément ce que fait Ionesco dans l'ensemble de son théâtre, et ce qu'il fit récemment encore dans son *Impromptu de l'Alma,* où il ridiculise un certain langage par le seul fait de le pétrifier : dès qu'on refuse d'adopter le mouvement d'une pensée qui se cherche à travers ses mots, ceux-ci deviennent des corps étrangers ou dérisoires, et on oppose à un langage qui ne vivait que par son intention signifiante, une rhétorique sclérosée qui n'est que sa caricature. Il suffit pour cela de transformer ce langage en *chose,* absurde comme l'est toute chose dès qu'on la considère en dehors de son contexte humain.

Si l'on s'engage dans cette voie, il n'y a plus de langage possible. Ionesco le sait si bien que, dans le même *Impromptu,* la dérision du langage des critiques théâtraux s'achève par la dérision de son propre langage d'auteur. Nous pouvons donc maintenant saisir le sens de toute sa démarche : qu'il critique le langage petit-bourgeois ou celui des « docteurs en théâtralogie », Ionesco ne le fait

---

2. En ce sens, il faut prendre au sérieux ce passage de *La Leçon* où Ionesco, par la bouche du Professeur, nous propose toute une théorie — évidemment parodique — du langage : « Si vous émettez plusieurs sons à une vitesse accélérée, ceux-ci s'agripperont les uns aux autres automatiquement, constituant ainsi des syllabes, des mots, à la rigueur des phrases, c'est-à-dire des groupements plus ou moins importants, des assemblages purement irrationnels de sons, dénués de tout sens..., etc. »

jamais au nom d'un *autre* langage, mais au nom du Silence pur et simple. Et c'est ici qu'intervient ce qu'on pourrait appeler un retournement dialectique. Car ce silence qui est la vérité de sa critique du langage, Ionesco essaie aussi, dans le corps de ses pièces, de nous en imposer la présence. Nous quittons donc ici le domaine de la dérision pour entrer — selon une expression paulhanienne — dans le « Royaume de la Terreur ».

Mais comment suggérer ce silence, dans une pièce où l'on ne dispose que de mots? En premier lieu, par l'incapacité radicale du langage à fonder de véritables rapports humains : l'effort de Ionesco consiste ainsi à nous faire entrevoir, sur les ruines de la communication verbale, le silence tragique qui est celui de la solitude des êtres. Dans *Les Chaises,* par exemple, il nous présente une situation verbale soigneusement viciée au départ : deux vieillards dialoguent avec des invités qui n'existent pas, et leurs paroles, parce qu'elles *ne s'adressent à personne,* se détruisent littéralement sous nos yeux [3]. C'est que le langage, par nature, est *pour autrui :* parler c'est sortir de soi, esquisser un rapport social, passer de la subjectivité à un début d'univers humain. Posons une situation-limite où le rapport à autrui est seulement fictif, et la parole s'annule aussitôt. Ce qui surgit alors sur ses ruines, c'est le noyau inhumain de silence qu'elle n'a pu parvenir à rompre.

Mais Ionesco va plus loin encore. À la fin de *Jacques ou la Soumission,* les personnages en viennent à adopter une langue où il n'y a plus qu'un seul mot pour y désigner toutes choses : le mot « chat ». Après nous avoir montré l'incapacité du langage à fonder la communication entre les hommes, Ionesco nous montre ici une humanité qui renonce elle-même à parler. Elle ne veut plus accomplir, en effet, l'acte foncièrement humain de *nommer* les choses,

3. Les deux héros ne parviennent à donner un semblant de réalité à leurs conversations imaginaires que par leur complicité mutuelle. Mais il arrive que celle-ci fasse elle-même défaut : par exemple quand la Vieille raconte au Photograveur le départ de son fils, tandis que le Vieux explique de son côté à la « Belle » qu'il n'a jamais pu avoir d'enfant. De la contradiction entre ce récit, que Ionesco a voulu émouvant, et son démenti brutal, naît une destruction instantanée du langage, dont j'ai pu ressentir le vertige à la représentation.

de les distinguer en les désignant et de leur assigner ainsi une *identité* [4]. Sans cet acte, il n'y a même plus de monde et même plus de choses, mais seulement la nuit d'un univers élémentaire où toutes choses sont encore mêlées. C'est sur le silence de cette nuit que semble bien déboucher tout le théâtre de Ionesco. Dans toutes ses pièces, en effet, nous retrouvons le même itinéraire fondamental : parti de la dérision d'un langage creux, il ne nous en libère que pour mieux nous enfermer dans le silence que ce langage dissimule. Une fois crevée sa mince pellicule de sens, ce langage révèle un abîme, où Ionesco nous plonge en même temps que ses personnages. Itinéraire dont une pièce comme *Les Chaises* témoigne d'une façon exemplaire, puisque la parole humaine devenue folle y disparaît pour laisser place au silence : c'est la lecture, à une humanité fictive, d'un Message que lui délivre un Orateur dont on entend seulement « des râles, des gémissements, des sons gutturaux de muet ». Le *mot de la fin,* pour Ionesco, c'est justement le silence : celui que seul un muet pouvait « dire ». La fin des *Chaises* nous révèle donc clairement la volonté qui anime toute la destruction du langage dans le théâtre de Ionesco : refermer le *silence* de l'univers sur l'*absence* de l'humanité.

Mais le silence, c'est aussi l'absence du Théâtre : celui-ci ne peut consommer la destruction du langage sans se supprimer lui-même. Et sans doute le théâtre de Ionesco vit-il en un sens de sa mort même : mouvement qui fait précisément toute sa force; mais il ne vit aussi que parce qu'il retarde cette mort jusqu'au bout. Suspendu entre la vie et la mort du Théâtre, l'Anti-Théâtre de Ionesco est toujours fragile, parce que le silence est sa *fin* dans les deux sens du mot : dans la mesure où il en réalise vraiment l'essence et aussi, à la limite, dans la mesure où il le supprime du même coup. Et c'est pourquoi, finalement, tout théâtre de la terreur est une impasse : il ne s'accomplit vraiment qu'en se niant.

4. La destruction du langage, chez Ionesco, prend volontiers la forme d'une terreur s'exerçant sur l'identité individuelle des êtres et des objets. On sait qu'un de ses procédés les plus chers consiste à donner le même nom à plusieurs personnages, de sorte que ce nom ne serve plus à les *désigner*. Cf. les Bobby Watson de *La Cantatrice,* ou les trois Bartholomeus de *L'Impromptu.*

Léonard C. Pronko

Le monde étrange et familier de Ionesco

Le monde créé par Ionesco est étrange et cauchemardesque, et en même temps familier, parce que c'est notre petit monde à nous, et que les figures grotesques qui se déplacent sur la scène nous font penser à nous-mêmes. Nous sommes devenus des pantins géants, qui avancent et qui reculent sans raison, avec peu de signification apparente dans nos paroles ou nos actions. Ce théâtre rappelle le Guignol, et c'est naturel, car c'est au Guignol que Ionesco prit ses premières leçons d'art dramatique.

> Le spectacle du guignol [nous dit-il] me tenait là, comme stupéfait, par la vision de ces poupées qui parlaient, qui bougeaient, se matraquaient. C'était le spectacle même du monde, qui, insolite, invraisemblable, mais plus vrai que le vrai, se présentait à moi sous une forme infiniment simplifiée et caricaturale, comme pour en souligner la grotesque et brutale vérité.

Ce texte constitue presque une méthodologie : dans les pièces de Ionesco, nous voyons des caricatures absolument semblables qui nous révèlent notre inutilité, notre vanité et notre stupidité. Ces figures possèdent en même temps une dimension métaphysique, car les hommes ne sont pas seulement animaux sociaux, ils

LÉONARD C. PRONKO, *The experimental theater in France,* traduit de l'américain par Marie-Jeanne Lefèvre sous le titre : Théâtre d'avant-garde (Denoël, Paris, 1963). Originally published by the University of California Press, 1962 ; reprinted by permission of the Regents of the University of California.

sont aussi victimes de l'univers antispirituel qui les écrase sous le poids d'une masse accablante de matière morte. Dans plusieurs de ses essais, Ionesco a décrit ce sentiment terrifiant qui est à la base de la plupart de ses pièces. Dans *Le Point de départ,* il explique qu'il y a deux états de conscience fondamentaux d'où ses œuvres tirent leur existence. L'un est celui de la légèreté, de l'évanescence et même de la liberté. Les choses ne semblent pas importantes et l'homme peut en rire. Mais cet état est très rare, et l'auteur se sent la plupart du temps dominé par une lourdeur, une épaisseur, une opacité, un univers qui écrase l'homme. Le soi est séparé du monde, et aussi de son soi véritable, l'esprit meurt et la matière triomphe. Après de brefs moments d'euphorie, l'homme est inévitablement rejeté dans le monde opaque des choses.

> Je n'ai pas d'autres images du monde [déclare Ionesco] en dehors de celles exprimant l'évanescence et la dureté, la vanité et la colère, le néant ou la haine hideuse, inutile. C'est ainsi que l'existence a continué de m'apparaître. Tout n'a fait que confirmer ce que j'avais vu, ce que j'avais compris dans mon enfance : fureurs vaines et sordides, cris soudain étouffés par le silence, ombres s'engloutissant à jamais dans la nuit.

Un tel point de vue (comme celui de Beckett) semble promettre un théâtre sombre et lugubre. La plupart des pièces de Ionesco sont au contraire étonnamment gaies, car l'auteur de ces farces tragiques ou de ces drames comiques entend souligner non seulement l'impossibilité de séparer le comique du tragique, mais aussi l'absurdité fondamentale de la condition humaine. La tragédie révèle la dignité de l'homme écrasé par une destinée incompréhensible. Mais la comédie est encore plus triste, car elle suggère qu'il n'y a pas de dignité humaine, qu'il n'y a rien à comprendre au-delà des farces cruelles que la vie nous joue. Ionesco mêle comique et tragique, et son public est tiré de l'un à l'autre jusqu'à ce qu'il ne sache plus que penser. Un public de Ionesco est rarement indifférent : ses membres sont ou violemment opposés au spectacle dont ils sont témoins, ou violemment favorables.

Prenant son point de départ dans des incidents ordinaires, tirés la plupart du temps de notre existence quotidienne, Ionesco les modifie et les déforme jusqu'à ce qu'ils atteignent une intensité de cauchemar, où il atteint à l'insolite. Cette vision, pense-t-il, reflète une estimation réaliste de la vie, car la réalité est profondément enracinée dans ce qui ne semble pas réel, tout comme la vie est enracinée dans la mort. Cette vision, nous rappelle-t-il, est attestée par Bouddha, Shakespeare, Jean de la Croix et Job.

Enfin, comme tous les dramaturges de l'avant-garde d'aujourd'hui, Ionesco considère la condition humaine et prend appui, bien que d'une manière non dogmatique, sur la fin dernière de l'existence de l'homme et sur sa signification. Une œuvre d'art, déclare-t-il, ne peut éviter d'exprimer quelque attitude fondamentale :

> Elle n'est rien si elle ne va pas au-delà des vérités ou obsessions temporaires de l'histoire, si, ne dépassant pas telle ou telle mode symboliste, naturaliste, surréaliste ou réaliste-socialiste, elle n'accède pas à un universalisme certain, profond.

Ionesco est, par conséquent, violemment opposé à un théâtre qui traite de problèmes courants comme tels. Un auteur qui traite d'universaux aura, naturellement, quelque chose à dire aux hommes de son temps, à moins qu'il ne parle d'une manière trop abstraite. Mais l'auteur qui épouse un système politique, ou essaie de prêcher sur scène une idéologie particulière, est entaché d'imposture — un penseur qui essaie de ressembler à un dramaturge, ou un dramaturge qui parade comme un penseur. Le théâtre est autonome, gratuit. Non que Ionesco soit partisan de l'art pour l'art. Il refuse d'appartenir à aucune école, et prend parti pour la liberté absolue du dramaturge. Son théâtre, nous dit-il, est une confession, un aveu, une projection de son drame intérieur sur la scène : « Et c'est en étant tout à fait soi-même que l'on a des chances d'être aussi les autres. »

Faust Bradesco

Indétermination du personnage

La notion de personnage, cette figure centrale et indispensable de la création dramatique, reçoit une entorse significative dans le théâtre d'avant-garde et surtout dans celui de Ionesco. Depuis le commencement de l'art dramatique, l'esprit humain était habitué à voir l'intrigue se dérouler de toute pièce en fonction d'un certain personnage, vivant ou mythique, *mais toujours bien défini*. L'action principale, ainsi que les faits secondaires, venaient mettre en relief la vie de cet être symbole.

Ces personnages-types, incarnant des images extrêmes de la vie, par des attitudes excessives aussi, représentaient des *symboles de l'existence humanisés,* mais jamais jusqu'au point d'être facilement confondus avec le spectateur lui-même. Il y a toujours eu une sorte de barrière qui empêchait l'identification totale du personnage et du spectateur. Celui-ci a toujours vu, dans la trame de la pièce et dans le personnage central, des choses extérieures à lui-même, des objets révélateurs d'un prototype d'individu, de sentiment, d'action, etc.

Sans aller aussi loin que certains qui qualifient ces réalisations traditionnelles de *« théâtre digestif »* ou *« théâtre de divertissement »,* nous pouvons néanmoins affirmer qu'il y a chez le spectateur, une forte dose de *passivité* et d'*expectative* dépourvues de participation personnelle, bien que, d'un autre côté, il soit rempli de curiosité et d'émotion. Le public attend que le personnage lui montre les folies, les horreurs, les prouesses d'un individu qui n'est pas lui, et avec lequel il ne pourra jamais s'identifier. Le spectateur veut voir la vie prodigieuse d'un être exceptionnel. Il veut le voir se débattre dans d'inextricables aventures, au milieu de sentiments et de ressentiments violents, plongé dans des espoirs frénétiques ou des découragements sans bornes, cruel ou magnanime, amoureux ou haineux à l'extrême. Il veut voir sa résurrection, sa victoire ou son expiation comme le suprême couronnement d'une trame efficace et définitive. Il veut voir, pour satisfaire son désir de compréhension et de satisfaction passive, des Antigone, des Célestine, des Hamlet, des Lucrèce Borgia, Britannicus, Othello, Phèdre, des Cid, Tartuffe, Scapin, Ruy Blas, des Topaze, Aimée, des Folles de Chaillot, des cocus magnifiques, etc.

Il sait que tous ces personnages sont des réalités extrêmes de la vie, mais il ne peut pas se défaire de cette inclination pour le symbole qui l'impressionne et qui, cependant, n'embarrasse pas son existence. Il y a presque de la reconnaissance dans sa résignation devant le personnage qui lui montre ce qu'il n'est pas capable de réaliser, ce qu'il serait constitutionnellement incapable d'exécuter. C'est pourquoi, à ses yeux, *le personnage doit être peu commun,* car il n'incarne pas l'homme commun. Ce n'est pas M. X ou M. Y dans des situations extravagantes, mais cet être mythique qui effectue dans le bien et dans le mal, dans l'abject autant que dans le sublime, ce qu'aucun mortel n'est de taille à faire.

Ce que le spectateur veut ressentir, ce n'est pas l'angoisse directe de l'action, mais l'angoisse réfléchie, tamisée par le talent artistique de l'acteur et par le conflit intérieur du personnage. Le spectateur, dans les pièces traditionnelles, *ne se retrouve pas,* car rien n'est fait dans cette intention. Tout tourne autour d'une idée centrale, vers laquelle mènent toutes les actions et toutes les intentions. On veut démontrer la toute-puissance du « cas » et le spectateur est invité à suivre les péripéties qui dirigent les détails vers la fatalité ultime de l'action.

Dans ces conditions, sans doute, on ne peut pas envisager une présence active du spectateur, un rapprochement quelconque entre les existences parallèles du spectateur et du personnage. Ils sont et restent étrangers l'un à l'autre. Ils s'affrontent sur des paliers différents ; ils se dévisagent, sinon avec indifférence, du moins avec une certaine méfiance, car ils représentent deux mondes distincts. Le personnage, c'est le monde qui agit et s'agite, qui explique, qui réalise des prouesses ; le spectateur n'est que le monde qui regarde, qui attend de comprendre quelque chose, qui réagit dans un rythme confus et ne se fond jamais dans l'activité de l'autre, bien qu'il s'assimile mentalement aux actions qui le touchent. Bref, le spectateur ne se retrouve pas d'emblée dans l'action du personnage, car celui-ci n'est pas créé à la mesure psychologique de l'homme. Il est toujours en décalage voulu pour mieux marquer sa valeur métaphorique. D'ailleurs, il ne cherche pas à assimiler le spectateur. Il veut seulement l'impressionner, le gardant toujours à une distance respectable.

On a toujours considéré que l'auréole, le mystère qui entourent le personnage, augmentent la valeur de la pièce et lui gardent un certain prestige. La personnalité de ces héros-types ne trouve jamais un équivalent acceptable dans le monde auquel ils s'adressent.

Ce monde, notre monde, est considéré comme inférieur et incapable d'agir effectivement selon le contenu authentique de la pièce. Le théâtre traditionnel, qu'il soit antique, classique ou moderne, n'est qu'une mythologie dramatisée, adaptée aux nécessités de l'époque; ce sont les contes de fée des grandes personnes qui ont besoin périodiquement, comme leurs propres enfants, d'une détente spirituelle, d'un bain de rêverie lucide.

Ionesco, avec une sorte d'intuition révolutionnaire, a complètement renversé les données. La plupart de ses personnages sont de simples éléments de la civilisation bourgeoise, pris dans leur simplicité de gens moyens. Aucun artifice ne les caractérise. Ce ne sont pas des exemplaires extrêmes, jouant des rôles extrêmes. Ionesco va même, fidèle à la réalité sociale, jusqu'à dépersonnaliser ses personnages, en leur donnant cette apparence grise, monocorde, qui peut signifier tout ou rien.

Veut-il, par là, marquer la solitude humaine ou la morne présence du lieu commun, qui constitue, en définitive, le fond de la vie?... Sûrement, étant donné le symbolisme énigmatique de ses pièces. D'ailleurs, on doit tenir compte du fait que l'insignifiance visuelle n'est qu'un corollaire, un complément de l'incongruité auditive, concentrée dans le dialogue. Il y a sans doute un parallélisme qui vise à arracher le spectateur à sa routine d'associations mentales; à mettre à nu et à stigmatiser la stérilité de notre vie à tous.

Les personnages de Ionesco caractérisent les types

d'individus qui, à notre époque plus que jamais, composent la société, et dont la vie est faite des attitudes et des propos les plus banals, les plus anodins, les plus pauvres, les plus conformistes. Notre monde est un monde standardisé, et on ne se montre digne d'en faire partie qu'en répétant infatigablement les mêmes absurdes lieux communs. Surtout, ne pas faire preuve du moindre esprit indépendant ou du moindre goût de critique!... Rester toujours dans la ligne de conduite du grand nombre, voilà la vie d'une société qui se prétend basée sur la liberté et la dignité humaines...

Les personnages de Ionesco parlent, ressassent presque sans rien dire, dans une angoissante logorrhée, qui révèle le vide d'idées qui se cache derrière une façade qui pouvait faire illusion. Une sorte d'automatisme agite ces personnages qui n'arrivent pas à se communiquer leurs sentiments, ni même leurs véritables pensées.

Au fond, tous ces personnages sont des solitaires, comme nous le sommes tous, qui se supportent réciproquement sans jamais se connaître. Ils se contentent de phrases toutes faites, sans problèmes, sans histoire; celles que tout le monde sait par cœur et répète jusqu'à la nausée dans une redite impersonnelle et ridicule. Cette abondance irréfléchie de mots et de phrases décousues, est le symbole d'une incapacité de communication directe ou correcte.

Avec l'apparition des personnages de Ionesco, de ces *« petits-bourgeois »* ternes, gris comme la propre vie qu'ils incarnent, une révolution profonde s'est accomplie dans la structure intime de la conception dramatique. Leur vie banale, leur manque de personnalité, leur langage dépourvu de l'artifice sonore du dialogue léché, leur enlève toute possibilité de se pavaner, de remplir un rôle *« surhumain »*. Il y a une indétermination voulue du personnage qui l'arrache au monde mythique pour le projeter au milieu de l'existence coutumière et insipide de notre époque.

Il ne s'agit pas d'une dépersonnalisation totale du personnage; on pourrait affirmer qu'il s'agit d'une mise au point : Ionesco le replonge dans son milieu naturel, dans l'ambiance de ses éléments constitutifs. Il monologue, non pas pour que la beauté du langage réveille dans le spectateur la nostalgie d'un monde inaccessible, mais pour lui faire sentir tout le dramatique de sa propre existence.

Il s'efforce de faciliter le rapprochement entre deux plans d'existence, qui au fond n'en forment qu'un : le plan de la vie et le plan idéalisé, schématisé, mais toujours humain, de la pièce. Ces personnages étranges qui peuplent le monde tout aussi étrange de Ionesco nous apparaissent ainsi, parce qu'on n'a pas l'habitude de se rencontrer avec soi-même sur la scène. On est choqué au premier abord, et cependant intéressé par ces fantoches qui nous ressemblent d'une manière si inhabituelle, qui nous obligent à prendre conscience enfin de notre présence dans l'existence.

Dans le théâtre de Ionesco, le spectateur est confronté avec sa propre condition d'être sensible et incomplet. C'est lui qui parle, qui gesticule, qui se contredit sans cesse, exactement comme dans ses dialogues de tous les jours.

Naturellement, cette nouvelle position par rapport à la pièce le laisse dans une incertitude subconsciente, qu'il n'arrive pas à saisir instantanément. Il se sent dépaysé, décontenancé, en face de ce style qui n'est pas ce qu'il connaît. Sa formation dramatique, fortement conditionnée, se ressent du changement et réagit avec une sorte de désespoir. Il lance toutes les invectives possibles à la figure de ces personnages qui *« l'imitent »* jusque dans les moindres détails, lui enlevant le plaisir de se croire différent ou meilleur qu'il n'est.

Le mythe, l'allégorie qui s'encadrent tellement bien dans sa constitution psychique lui font défaut. Il se trouve dénudé devant sa propre conscience, qui lui crie de se regarder comme il est en réalité. Les personnages étant humanisés, le spectateur monte sur la scène, il se mélange à leurs actions.

C'est le grand moment du théâtre ionesquien, le moment où le spectateur prend connaissance de sa présence dans le personnage. Il se rend compte que l'idéalisation dramatique de l'action, même en devenant une prosaïque réalité humaine et personnelle, ne perd rien de sa valeur esthétique et dramatique. Il y a seulement un changement de plan, qui lui donne l'occasion de se détailler dans les personnages les plus divers qui, étant volontairement indéterminés, acceptent sans maugréer d'être mentalement remplacés.

La vie des personnages sans relief — mais qui se manifestent aussi bruyamment que n'importe quel héros classique — est dépourvue peut-être de la noblesse spectaculaire des grandes tragédies, mais elle garde l'attrait de la propre sensibilité humaine. Cette couleur uniforme et sans éclat, qui paraît couvrir des êtres sans vie propre et sans caractère, acquiert une splendeur significative aux yeux du spectateur par le simple fait qu'elle est identique à la couleur de son existence. Là où il s'attendait à découvrir la vie hyperbolique d'un exemplaire remarquable, il découvre sa pauvre réalité existentielle, peinte sans artifices et sans outrances.

Goûter cette découverte n'est qu'une question de temps. Ce qui est important, c'est que, sans imposer l'indétermination du personnage, sans bannir de la scène ces individus-types qui accaparaient toute l'action, il n'aurait pas été possible de modifier l'aspect formel de la dramaturgie. Si, devant une scène traditionnelle, le spectateur se dit en lui-même : « Je voudrais ou je ne voudrais pas être ce personnage », dans le cas du théâtre moderne, il s'entend murmurer : « Mais, c'est moi, ou presque moi, ce personnage! »

Remarquons, d'ailleurs, que cette tendance à l'indétermination du personnage se trouve aussi chez d'autres auteurs d'avant-garde (Beckett par exemple avec ses mendiants), mais c'est Ionesco qui a poussé cette modification au point de créer une nouvelle structure dramatique. Dans ses pièces, le spectateur a la nette impression de se confondre avec les personnages et éprouve la sensation de se trouver lui-même en scène.

Les personnages du monde ionesquien accomplissent leur tâche spécifique sans emphase et sans complexes, comme de petits-bourgeois qu'ils sont. Campés dans des rôles qui leur vont comme des gants dans l'ensemble du drame qu'ils incarnent, ils ont la platitude quotidienne des individus qu'ils sont censés matérialiser. Bavards, têtus, incohérents, ils ne pêchent jamais par un excès de beauté de style ou d'images. Ils sont terre à terre, engrenés dans un ensemble fait de fragments de vie, une vie dans laquelle il y a plus de curiosité réciproque que de collaboration dans la poursuite d'un but. On dirait des êtres placés dans des mondes parallèles et animés d'intentions discordantes. Dans l'agencement de l'intrigue, c'est le pur hasard qui les réunit dans une action d'ensemble. L'incompréhension et l'impossibilité de communiquer deviennent patentes, même entre des êtres extrêmement proches l'un de l'autre dans d'autres ordres de vie.

Hildegard Seipel

Personnages

Le refus de représenter des caractères psychologiques sur la scène est un aspect de la conception du théâtre de Ionesco. « La personnalité n'existe pas », dit-on catégoriquement dans *Victimes du devoir*[1]. Tout comme l'auteur lui-même, les critiques soulignent le caractère non psychologique des personnages des pièces de Ionesco : ils se ressemblent tous et, pour cette raison, ils sont plusieurs à porter le même nom[2], qu'il s'agisse de figures interchangeables à la recherche de leur identité[3], d'automates[4], de démons travestis[5]; ou de la réalisation du « On » heideggerien, c'est-à-dire de l'oubli de l'existence[6]. Dans certains cas, Ionesco parle même du « caractère

HILDEGARD SEIPEL, *Études sur le théâtre expérimental de Beckett et Ionesco,* (Traduction de Michel Sineux.)

---

1. *Victimes du devoir,* p. 220 : « Nous abandonnerons le principe de l'identité et de l'unité des caractères, au profit du mouvement, d'une psychologie dynamique... Nous ne sommes pas nous-mêmes... Les caractères perdent leur forme dans l'informe du devenir. Chaque personnage est moins lui-même que l'autre. »

2. A. Bosquet, « Comment se débarrasser du personnage », dans *Cahiers des Saisons,* 15, p. 234; J. Vannier, « Langages d'avant-garde », dans *Théâtre populaire,* mai 1956, p. 35 ; S. Doubrovsky, « Le rire de Ionesco », dans *La Nouvelle Revue française,* février 1960, p. 317.

3. A. Schulze-Vellinghausen, *Das Abenteuer Ionesco,* I, p. 13.

4. D. Mauroc, « Le Théâtre de Ionesco », dans *La Nouvelle Revue française,* juillet 1953, p. 149.

5. M. Brion, « Sur Ionesco », *Mercure de France,* p. 273.

6. Doubrovsky, *op. cit.,* p. 317.

interchangeable des personnages », en référence aux Martin qui, à la fin de *La Cantatrice,* remplacent les Smith [7]. Cette remarque corrige déjà l'affirmation d'apsychologisme de l'auteur ; elle indique que ce sont moins des personnages diversifiés sur le plan individuel et dessinés avec précision que des figures typiques qui doivent être représentées. Ceci est répété ailleurs, avec un accent un peu différent, lorsque l'auteur parle des « états d'esprit... extra-historiques » qui, seuls, intéressent l'auteur dramatique [8] ; et ceci explique aussi cette phrase, aussi ambitieuse que vague : « Éviter la psychologie ou plutôt lui donner une dimension métaphysique [9]. » L'obscurité et le caractère apparemment contradictoire du concept de personnage sont éclairés une fois encore dans une interview où, à l'assertion selon laquelle les pièces de Ionesco manqueraient de personnages dramatiques, celui-ci répond : « Mon personnage doit aller au-delà de sa condition temporelle, et à travers cette condition il doit rejoindre l'humanité... C'est surtout l'idendité profonde qui m'intéresse [10]. »

Ce qu'il peut y avoir d'imprécis dans ces remarques non systématiques s'éclaire si, au lieu d'ériger en absolu des manifestations isolées (automatisme, identité de nom), on observe tous ensemble les personnages de Ionesco. Il y a, dans les pièces de Ionesco, plusieurs sortes de personnages et beaucoup d'entre eux, ainsi qu'on l'a déjà évoqué, modifient leur être pendant le cours d'une scène.

On rencontre chez Ionesco des types traditionnels de la comédie : les concierges, dans plusieurs pièces [11], le locataire conversant avec la concierge dans *Tueur sans sages,* et, dans cette même pièce, l'architecte et la secrétaire [12] — types, c'est-à-dire personnages dont l'arrière-plan social est évoqué par les signes professionnels et chez qui l'on fait apparaître, considérablement exagérée, une caractéristique quelconque (bavardage

---

7. « Naissance de la Cantatrice », dans *Notes et Contre-notes,* p. 164.

8. « Expériences du théâtre », p. 17 ; p. 19.

9. *Id.,* p. 13.

10. *L'Express,* 28 janvier 1960.

11. *Amédée,* p. 232 ; *Tueur sans gages,* p. 100 ; *Le Nouveau Locataire,* p. 117.

12. *Tueur sans gages,* acte I et début de l'acte II.

stupide, curiosité, impertinence, correction bureaucratique). Naturellement, c'est dans les pièces de structure plus traditionnelle qu'ils apparaissent le plus fréquemment. À partir de ces charges, on aboutit, dans *Rhinocéros,* aux caractères de la comédie psychologique. Dans d'autres pièces, ce comique est renforcé par la satire; tel est le cas avec l'agent de change et le peintre dans *Le Tableau,* les familles dans *Jacques,* les critiques dans *L'Impromptu;* et ce n'est que dans cette sorte de pièces que les personnages portent aussi parfois les mêmes noms : les Jacques, les Roberte, les Bartholomeus. Cette identité des noms, qui n'est pas précisément fréquente chez Ionesco [13], s'explique par l'intention satirique; il n'est pas nécessaire de déranger Heidegger pour l'interpréter. Outre la langue et l'isolement de traits de caractère particuliers, d'autres moyens sont éventuellement mis en œuvre pour restituer la grossièreté satirique grandissante : Ionesco ne prévoit qu'une seule fois des masques; c'est pour les personnages de *Jacques* [14]*;* et il fait apparaître les policiers de *Tueur sans gages* travestis en marionnettes géantes.

Si ces personnages sont dans l'ensemble tributaires de la tradition de la comédie, il en est quelques autres qui ont pour ascendants les figures du jeu d'Apollinaire et de Cocteau, mais qui restent dépourvus de signification parodique symbolique. Ils apparaissent de façon caractéristique dans l' « Anti-Pièce » et dans « Pseudo-Drame » : le capitaine des pompiers de *La Cantatrice,* introduit sans motif dans la pièce, en uniforme d'apparat, attristé par le manque d'incendies, héros dans l'art de raconter des plaisanteries surréalistes; Mary, « Sherlock Holmes », qui disparaît dans le plancher de la scène; la vieille dame qui tricote dans *Victimes du devoir,* à qui tous les personnages s'adressent, mais qui ne dit rien et qui n'a rien à voir avec l'événement. À cette même famille appartiennent encore deux figures de *Tueur sans gages :* le bizarre Édouard avec les papiers du meurtrier et le

---

13. Ailleurs, elle n'apparaît qu'une fois, sur le plan de la parodie du langage, chez les Bobby Watson de *La Cantatrice.*

14. Peut-être faut-il voir la tendance de Ionesco pour le psychologisme dans le fait qu'il ne recourt pas plus souvent à l'usage du masque qu'avait déjà redécouvert Jarry.

vieil homme au troisième acte, qui s'enquiert du chemin qui mène au Danube.

La conception de personnages tels que le tueur (*Tueur sans gages*) et l'orateur (*Les Chaises*) est également apsychologique. D'après leur fonction, ils n'ont rien à voir avec ces figures de jeu dont nous avons parlé. On pourrait les classer, avec le mort d'*Amédée,* dans une galerie de « monstres », et plus précisément de « démons déguisés ». Étant donné qu'ici le grotesque ne s'incarne pas dans un objet, mais dans des personnages, ces figures se rapprochent des allégories du Mal, de l'Absurde. — Le préposé, qui, dans *Amédée,* apporte une lettre dont l'expéditeur n'est pas identifiable, est également une figure grotesque; il se laisse éconduire et ne marque aucun étonnement quand on lui fait remarquer qu'à Paris tout le monde s'appelle Amédée Buccinioni et demeure rue des Généraux; il n'est pas surpris non plus de voir les champignons pousser dans la pièce. On ne lui attribue pas de signification allégorique; il n'est là que pour renforcer l'atmosphère de mystère.

Les types empruntés à la comédie traditionnelle, comme les figures monstrueuses, ne subissent aucune modification au cours de l'action, abstraction faite de ceux de la guignolade intitulée *Le Tableau.* À l'exception des personnages de *Jacques* et de *Le Tableau,* ils sont aussi des figures marginales. Par contre, ce processus de développement du surréel à partir du réel, typique de la dramaturgie de Ionesco, existe chez la plupart des protagonistes. C'est le cas, dans *Victimes du devoir,* du policier et du poète Nicolas qui, de jeunes gens timides deviennent imprévisiblement les exécuteurs d'une mission non explicitée. De même, dans *La Leçon, Le Nouveau Locataire, La Cantatrice chauve,* l'élève et le maître, le nouveau locataire, les époux Smith et Martin sont psychologiquement et socialement clairement situés dans chacune des scènes d'introduction, même si cela n'est pas vrai dans les moindres détails. Après une exposition conforme aux règles de la comédie — soif résolue d'apprendre et volonté d'enseigner refoulée; discussions sur les clauses du contrat de location; ennui vespéral — les personnages perdent leur relief psychologique et deviennent, ainsi que nous l'évoquions plus haut, des chiffres ambigus, des objets, des démons, des robots parlants. *Le Tableau* propose la variante ludique de ce glissement des personnages d'une réalité dans l'autre.

Le procédé non verbal le plus important que l'auteur utilise, dans ces pièces comme dans d'autres, telle que *Les Chaises,* pour rendre sensible le changement de niveau de réalité est la transformation du mouvement naturel en une mimique rythmée, dont l'effet est comparable à celui de marionnettes, et qui autorise qu'à certains moments l'on parle d'automates humains. Dans *La Leçon,* il est dit vers la fin, à propos du professeur : « ...lui, brandissant toujours son couteau invisible, presque hors de lui, tourne autour d'elle, en une sorte de danse du scalp [15]... ». Le jeu de Madeleine et du policier, dans le dernier tiers de *Victimes du devoir,* devient une sorte de clownerie [16]. Dans *Le Nouveau Locataire,* le mouvement est réglé comme une chorégraphie; les gestes deviennent progressivement plus ludiques jusqu'à la fin où l'on dit : « ...tout ceci est devenu une sorte de ballet pesant, les mouvements étant toujours très lents [17] ». A. Schulze-Vellinghausen parle d'un « monde artificiel en état d'hypnose, où l'on dort pour ainsi dire debout, où l'on tourne en rond, où l'on fait des pas, où l'on cherche des issues [18]. » Si, dans les exemples qui viennent d'être cités, les mouvements mécaniquement ludiques, au rythme dépourvu de sens, ne sont là que pour renforcer l'atmosphère grotesque de rêve de chacune des scènes, ils ont encore une autre signification dans *Amédée* et dans *Les Chaises :* « pour passer entre les pieds du mort et les meubles... il faut presque faire de la gymnastique... ». « Affolés dans leur mutisme, Amédée et Madeleine font une suite de mouvements sans paroles... ils ont des mouvements désordonnés [19]... »

« Allées et venues des vieux, sans un mot, d'une porte à l'autre; ils ont l'air de glisser sur des roulettes... les deux vieux devront toujours donner l'impression de ne pas s'arrêter, tout en restant à peu près sur place; leurs

15. *La Leçon,* p. 86.
16. *Victimes,* p. 211.
17. *Le Nouveau Locataire,* p. 197; p. 192, 199.
18. *Das Abenteuer Ionesco,* p. 14.
19. *Amédée,* p. 283, 285.

mains, leur buste, leur tête, leurs yeux s'agiteront en dessinant peut-être des petits cercles [20]. »

Ici, les personnages n'exécutent pas seulement, comme en rêve, les mouvements dansants des marionnettes; dans cet espace où les choses se mettent à vivre et acquièrent une force supérieure, ils deviennent eux-mêmes des choses, incapables désormais d'accomplir des gestes sensés. Leurs mouvements sont semblables à ceux d'une mouche se débattant dans un filet; ils ne sont pas seulement dépourvus de sens, en ce qu'ils n'engendrent aucun acte libérateur : ils sont également sans mesure [21]. Un mécanisme dramaturgique, qu'Apollinaire a introduit par jeu — par exemple dans le ballet du journaliste, dans la danse de l'homme-kiosque-gendarme —, a retrouvé chez Ionesco une fonction expressive; ce qui était simple jeu devient ici l'expression d'une situation absurde. Le procédé, qui parfois est utilisé par Ionesco d'un point de vue purement satirique [22], fait partie du programme du « théâtre total »; cette indépendance donnée à la mimique donne naissance à une pantomime rituelle que l'on trouve également dans d'autres drames contemporains.

Simone Benmussa

L'image, évidence vivante

« Il faut être présent, présent à l'image dans la minute de l'image. » Cette phrase de Gaston Bachelard à propos de l'imagination poétique, peut s'appliquer à l'art d'être spectateur. C'est cette adhésion totale que requiert

SIMONE BENMUSSA, *Ionesco,* coll. « Théâtre de tous les temps »,

20. *Les Chaises,* p. 155.

21. Ionesco présente cela comme une expérience fondamentale : « Je n'ai jamais réussi à m'habituer, tout à fait, à l'existence... Les gens me semblent se mouvoir automatiquement, sans raison... *(Notes et Contre-notes.)*

22. *Jacques,* p. 122; *Tueur sans gages,* p. 150.

une œuvre théâtrale. C'est par ce qui se passe sur la scène que l'on doit comprendre le poète de théâtre, c'est en partant de l'image offerte que l'auteur réveille en lui-même des résonances de son propre passé, ou d'un passé plus ancien de l'humanité, ou encore d'un immémorial passé de la Création.

Le coup frappé sur le théâtre est plus fort, l'image plus développée que son retentissement dans le souvenir réveillé. Ainsi l'auteur s'étonne de ce qu'il écrit, il le découvre en même temps que son lecteur ou son spectateur.

Tante Adélaïde, en scène dans *La Soif et la Faim,* a une dimension, un éclatement poétique tout autre que le souvenir de Ionesco. Son essentialité réside dans ce qui la sépare de son modèle vulgaire resurgi. Ionesco a bien senti cela quand il demande que l'on décrive ses œuvres, qu'on le suive dans sa création plutôt que de la questionner ou de la juger selon nos propres critères. C'est là ce qui l'a opposé à Kenneth Tynan et Orson Welles, entre autres, à propos de cette controverse parue dans *L'Observer,* à laquelle on a donné beaucoup d'importance alors qu'elle était fondée sur un malentendu. Le critique croyant qu'on lui contestait son droit de jugement, l'auteur imaginant qu'on parlait de tout autre chose que de son œuvre, ou que l'on se servait toujours des mêmes critères pour juger des œuvres différentes. [...]

Nous verrons que ce conflit entre Ionesco et la critique ne relève pas d'un goût de la polémique, comme on l'a cru, mais d'une angoisse plus profonde.

C'est donc la marge poétique du modèle à son image que l'auteur désire que l'on cerne, dans la mesure du possible. Car, en effet, il ne peut plus s'agir de critique mais d'une volonté d'adhésion. Il exige de nous, spectateurs, cette adéquation totale avec l'œuvre, cette attention qui permet de ressentir d'abord l'image telle que le poète nous la livre et de remonter ensuite, en même temps que lui, dans tous les échos qu'elle provoque en lui et en nous. C'est par l'image scénique, « évidence vivante », que la communicabilité peut exister. Seule l'image exubérante, proliférante, importe dans l'œuvre de Ionesco. C'est elle qui nous révélera petit à petit quel est l'homme, quels sont les hommes, le monde, l'Univers, l'être qu'elle a fait vibrer, qu'elle a questionné. Nos Tantes Adélaïde se réveilleront à l'apparition de celle de Ionesco.

Quel est le long chemin qui va des images asphyxiantes des régimes totalitaires ou des agents de police de *Tueur sans gages,* frappant le jeune soldat et bousculant le vieillard, au souvenir alerté de l'enfant qui, se promenant dans les rues, assiste à cette scène : « *Je n'avais pas dépassé l'âge de l'enfance que, dès mon arrivée, dans mon second pays, je pus voir un homme assez jeune, grand et fort, s'acharner sur un vieillard, à coups de pied et de poing* [1]. »? Ou encore de quelque guignol vu au Luxembourg : « *Je me souviens encore que, dans mon enfance, ma mère ne pouvait m'arracher du guignol, au Jardin du Luxembourg. J'étais là, je pouvais rester là, envoûté, des journées entières. Je ne riais pas pourtant. Le spectacle du guignol me tenait là, comme stupéfait, par la vision de ces poupées qui parlaient, qui bougeaient, se matraquaient. C'était le spectacle même du monde, qui, insolite, invraisemblable, mais plus vrai que le vrai, se présentait à moi sous une forme infiniment simplifiée et caricaturale, comme pour en souligner la grotesque et brutale vérité* [2]. »

Quelles autres impressions indéfinies se mêlent encore au souvenir précis pour que le sentiment de l'autorité devienne une multitude d'images tour à tour de rhinocéros, ou d'un professeur de « doctorat total » *(La Leçon),* d'un policier-père et rival *(Victimes du devoir),* d'un gardien de musée *(La Soif et la Faim)* ou de mille autres apparitions comiques, absurdes, grotesques, insoutenables, souvent hors de toutes dimensions humaines, comme si elles étaient des superpositions dans le temps de tous les aspects de la loi? Ce qui nous importe, ce ne sont pas ces souvenirs eux-mêmes, relevant de l'enquête psychologique, souvenirs communs à bien d'autres hommes, mais la façon dont ils se décalent dans le temps, se juxtaposent, se surimpressionnent, se calquent et se décalquent, et les images fantastiques qu'ils engendrent. Mélange donc de réalisme par les souvenirs et de fantastique par leur accumulation et leur transformation. (L'architecte de *Tueur sans gages* est à la fois commissaire, médecin, psychanalyste, assistant de

1. *Notes et Contre-notes,* éd. Gallimard.
2. *Ibid.*

chirurgie, sociologue, outre ses fonctions d'architecte. Le policier de *Victimes du devoir* cumule les états de père, adjudant, lettré, ainsi que celui de médecin. Nous savons que certains des personnages de Ionesco perdent leurs identités, d'autres les superposent donc, deviennent polyvalents. Ils peuvent, suivant les directions différentes que prend le dialogue, répondre avec vraie ou fausse compétence, en spécialistes, utilisant souvent une terminologie déformée.)

Comment toutes les Madames Smith, Roberte, Madeleine, Joséphine, se séparant et s'opposant en Marie et Marguerite, se rejoignant à nouveau dans Marie-Madeleine, sont-elles, de pièce en pièce, des relais, des moments différents (souvent à l'intérieur d'une même pièce) de la même femme, à la fois mère, épouse, sœur, amante ? Comment même, des « souvenirs de souvenirs », des mots-taches, des sons ou des images-sons [3] ou

3. Les sons prennent souvent le relais des images. Ils inventent l'image. Ils ont dans l'œuvre de Ionesco une place importante, ils collaborent au jeu et au mouvement. Citons quelques exemples sans pouvoir les développer ici : le claquement du galop de cheval dans *Jacques* qui prend le relais de la vision du désir. Les grincements du cadavre d'*Amédée,* la fuite d'Amédée qui déclenche les sifflets des trains. Dans *Le Roi se meurt,* le palais craque, accompagnant l'agonie royale. Dans *Les Chaises,* le clapotis de l'eau, le glissement des barques, le tapotement régulier des rames, puis les rires, les rumeurs des invités. Les bruits jouent seuls, alors que le plateau est désert. Nous verrons plus loin les nombreux coups de sonnettes aux portes. Les explosions de *Délire à deux*. Les barrissements des *Rhinocéros*. Ces bruits sont donc présents, ils font partie du jeu scénique. Mais aussi dans *La Vase,* le personnage en prend soudain conscience et en souffre : « Je ne pouvais plus supporter les bruits : tout écorchait mes oreilles, chaque voix, la plus enfantine, me semblait être une plainte aiguë, déchirante, physiquement déchirante. Je percevais les sons comme à travers un élément solide, amplifiés, brutaux. Cela me trompait dans le calcul des distances que ma vie, en baisse, s'évertuait à rectifier. Puis des cris, comme des couteaux, semblaient briser mes tympans ; j'entendais les feuilles s'abattre, lourdes comme des pierres ; les bruissements des arbres comme des déchirures de l'air, là, tout près.

« Par une réaction de défense instinctive, tout à fait naturelle, je devins, tout d'un coup, à moitié sourd. La sonorité se fit confuse. Je fus entouré d'une atmosphère d'ouate, sans résonance. Le monde devint images presque insonores, d'ailleurs ternes. Les bruits, étouffés, qui, tout de même, me parvenaient, n'avaient aucun rap-

encore une couleur ou une tonalité sont-ils des germes de création venant de régions obscures et vont-ils s'amplifiant, se ramifiant, s'opposant, s'élaborant en thèmes mélodiques, se composant en scènes, progression et dynamique même de chaque pièce, de toute l'œuvre? Nous découvrons ensuite que ce qui n'était qu'impressions éparses, est lié par des fils invisibles aux obsessions fondamentales, toujours présentes, donnant à l'œuvre cette profonde cohésion. Ainsi les mots : lumière, bleu, vert, clarté, boue (soit enlisement mortel, soit enlisement érotique), humidité, villes ensevelies, jardins, incendies, passerelles, pont d'argent, échelle lumineuse, suspendus dans le vide, à la limite du visible et de l'invisible, sont des mots clés, des images qui prennent naissance dans un univers souterrain constamment en mouvement.

Richard N. Coe

[*La prolifération*]

Pour Ionesco, dans le combat douteux et gigantesque de l'homme contre l'univers, le vide précaire de l'esprit

RICHARD N. COE, *La Farce tragique,* « Proceedings of the teeds Philosophical and Literary Society », t. IX, mars 1962. Repris dans *Cahiers Renaud-Barrault,* nº 42, février 1963, © L'Action théâtrale, Paris. (Traduction de Claude Clergé.)

---

port avec ce qui, pourtant, semblait les produire; un charretier lançant des jurons, la bouche grande ouverte, ne faisait entendre que de vagues pépiements; la voix perçante de la patronne de l'auberge s'était transformée en doux murmure de ruisseau.

« Maintes fois je faillis être écrasé sur les routes par des camions dont le bruit me semblait être celui d'une brise légère caressant les oreilles. L'attention que je dus déployer augmenta ma peine. Je n'avançai plus que pas à pas, tournant à chaque instant la tête de tous les côtés. »

Déformation aussi des barrissements des Rhinocéros qui deviennent de beaux chants. Déformation également dans *Le Piéton de l'air* des voix de la petite fille et de John Bull qui émettent des sons artificiels et stridents quand on leur demande de chanter.

est constamment menacé par l'écrasante masse des objets. En fait, en l'absence de toute signification obligatoirement inhérente à l'existence, l'esprit humain lui-même est un *objet* comme tout le reste, ou plus exactement un anti-objet, une absence de matière, une vacuité, *un vide chaotique* comme le décrit Bérenger. Et, un vide, en vertu de cette loi naturelle des plus élémentaires, demande à être comblé. Le négatif attire en soi le positif et l'absorbe. Or, dans ce contexte, le positif est la totalité de cet univers matériel amorphe et épais qui entoure *l'esprit*. Cependant, le *vide* de l'esprit possède au moins un attribut, par lequel il s'élève au-dessus de la grossière passivité de l'objet : la conscience. L'esprit peut être absurde, au moins est-il lucide; alors que l'absurdité de l'objet inanimé n'est pas seulement dénuée de sens, mais inconsciente et, par conséquent, positivement et activement hostile aussi bien à la conscience qu'à la signification. La matière est l'ennemi le plus mortel de l'homme. Et combien l'homme est vulnérable, armé de sa seule lucidité et d'une vision éphémère de la lumière en face de la lourde et envahissante multitude de la matière! La vision, chez Ionesco, d'un univers instable entre le diaphane et l'impénétrable, la volatilité de l'esprit et la lourdeur du plomb, l'absurdité de la pensée et l'absurdité encore plus grande de la matière, trouve son expression dramatique dans des effets de lumière et de décors. D'un côté, la fluorescence verte triste et nue de *Jacques* et des *Chaises,* le rayonnement froid de *Tueur sans gages* ou du scénario de ballet *Apprendre à marcher;* de l'autre côté, l'annihilation progressive de l'esprit et de la vie de l'être humain par la prolifération des objets.

La prolifération est cette perverse faculté d'accroissement et d'empiétement, inhérente à ce qui est mort; c'est plus que le pouvoir qu'a la mort de l'emporter sur la vie; c'est une sorte de plan d'existence intermédiaire entre la vie et la mort, une sorte de troisième plan qui n'est ni la vie, ni la mort et, comme une espèce de masse grouillante, fait penser à ces inquiétantes métamorphoses dues à la radio-activité et à ces répugnantes mutations qui apparaissent dans les métaux et la matière et suivent de près les explosions nucléaires. L'infinie facilité avec laquelle l'homme peut être englouti et disparaître dans cette forme de réalité inférieure que sont les choses, est terrifiante à contempler; non pas Ionesco tout seul, mais toute *l'avant-garde* — Vauthier, en particulier — et les auteurs du nouveau roman, partagent cette même obsession, cette même crainte insurmontable. *Le Chosisme* de Ionesco ne diffère du leur que dans la mesure où la collection d'objets sinistres et hétéroclites dont il entoure ses victimes est, en quelque sorte, *plus active, plus perverse* que chez eux. *Le Personnage combattant,* de Vauthier, par exemple, est plus ou moins vaincu par les objets — buffets, table, valises, machine à écrire — qui l'encerclent; leur seule présence suffit à le saper, à le détruire en tant qu'être humain. De même, le Soldat du *Labyrinthe* de Robbe-Grillet n'a qu'à s'engager dans le sordide enchevêtrement de rues et de maisons, pour que le piège se referme et que les substances vitales aussi bien de son corps que de son esprit soient immédiatement absorbées par les tentacules et les ventouses de cette funeste jungle de pierre.

Chez Ionesco, pourtant, les objets ne se contentent pas de vous épier. Ils attaquent, ils envahissent, ils tendent des embuscades, ils pénètrent subrepticement dans la forteresse, la nuit; ils s'emparent du langage, du son et de l'image; tout ce qu'ils touchent est changé en pierre et devient, par suite, leur allié. Cette vision de la matière inanimée qui s'avance en détruisant tout sur son passage — telle une excroissance cancéreuse — est un des aspects les plus horrifiants et, en même temps, les plus comiques de son théâtre. Depuis que furent données les premières indications de scène de la première pièce de Ionesco, *La Cantatrice chauve,* jusqu'à la scène finale de *Rhinocéros,* une force obscure attend impatiemment l'occasion de prendre la place occupée par ce qui vit — qu'il s'agisse de l'apathie linguistique de l'adjectif qualificatif ou de l'apathie morale de l'animal.

Si l'objet est dénué de sens en soi, sa prolifération l'est encore cent fois plus : de là découle la comédie. Les sonneries de la pendule prolifèrent à l'infini tout comme les Bobby Watson; les alliances de famille dans le récit du pompier, comme les formes diverses prises par le feu dans le poème déclamé par la bonne *(La Cantatrice chauve)*. Les diverses variétés de langues néohispaniques se multiplient à l'infini dans le discours du professeur de *La Leçon* et tout aussi follement que les chaises et leurs occupants invisibles, les tasses de café dans *Victimes du devoir,* les champignons et le cadavre dans *Amédée* — ou les critiques dans *L'Impromptu de l'Alma.* Ce sont aussi, dans *Tueur sans gages,* les effets contenus dans la valise d'Édouard. Mais, par-dessus tout, ce sont les meubles dans *Le Nouveau Locataire;* pièce qui dépeint très clairement la défaite de l'homme devant l'objet. Ici, *le vide chaotique* a finalement et irrévocablement été comblé et il ne reste plus rien à dire, sauf : *Éteignez la lumière!*

Pourtant, la force véritable de ce théâtre de *la prolifération* ne réside pas uniquement dans le fait qu'il donne une forme extérieure, visible à une assertion concernant la nature métaphysique de la réalité interne. Cette assertion est beaucoup plus brutale, plus révoltante encore. *L'Absurde chez Ionesco,* conclut Damiens, *n'est pas intérieur, il est extérieur; c'est une constatation littérale concernant le rapport qui existe entre l'homme et le monde qu'il habite.* En d'autres termes, ce n'est pas seulement l'esprit de l'homme, c'est l'homme lui-même qui est au seuil de l'anéantissement final devant l'agressivité aveugle de l'objet.

Dans un tel ordre de préoccupations, le décor a de toute évidence un rôle particulier à jouer dans la pièce. Le décor (ou la mise en scène) dans le sens particulier où A. Artaud emploie ce terme est le symbole visible du cosmos inanimé tout entier, dans lequel la victime est engloutie. Donc, le représenter à la manière habituelle serait la plus grande des erreurs.

Le décor doit être mort et s'il montre la moindre trace de vie, il faut que l'éclairage la fasse disparaître immédiatement. Poussière, accumulation, laideur inexpressive, un tableau qui ne signifie rien *(Jacques ou la Soumission).* Fauteuils usés, pendules détraquées, mobilier bourgeois d'une laideur monumentale. [...] Seul, le bric-à-brac poussiéreux et mêlé du revendeur, seules les frusques ramassées au bout d'un bâton, ont la qualité requise de sordidité et de fatigue pour constituer le décor qui abritera la bourgeoisie déchue et perdue des pièces de Ionesco.

Georges Anex

[*Un théâtre onirique*]

Ionesco définit son théâtre comme *« la projection sur la scène d'un univers intérieur »*. [...] Les acteurs de ce théâtre sont les médiums qui nous font accéder à l'intérieur de notre propre rêve, qui dégagent les forces latentes et spontanées de notre conscience la mieux cachée.

Ce monde de l'hypnose est un monde fermé, monde du parler-tout-seul et du dormir-debout; il est sans issue[1], sans espoir (tout y recommence sans cesse, comme avant), à la fois *fascinant et asphyxiant*. Les drames et les comédies de Ionesco se passent dans des chambres bien closes, où des familles et des couples dévorent entre eux leurs secrets. Les relations avec le monde extérieur, avec notre monde habituel, sont hypothétiques et, de toute façon, pleines de méfiance ou sujettes à de continuelles méprises. C'est un monde menaçant et interdit. L'arrivée du facteur, dans *Comment s'en débarrasser*, est un événement incommensurable. Ionesco joue très habilement sur les interférences qu'il suscite entre les deux mondes, comme notre rêve joue avec le monde de la veille, comme le somnambule se souvient des lois de l'équilibre. Les personnages de Ionesco se meuvent aux frontières de la vie rêvée et de la vie réelle, dans une zone intermédiaire où le quotidien rend compte de l'étrange, où l'étrange se vérifie à chaque pas dans le quotidien, où toute chose peut, à tout instant, changer de signe, où la vérité et le phan-

GEORGES ANEX, *Ionesco, le médium, La Gazette de Lausanne,* 8 janvier 1955, repris dans *Cahiers Renaud-Barrault,* n° 42, février 1963,

---

1. Avec *Le Piéton de l'air* Ionesco marque un changement dans son œuvre, le « monde fermé » semble avoir trouvé une ouverture. (Note de la rédaction.)

tasme, la bouffonnerie et le sérieux sont à la fois involontaires et inséparables. Lorsque nous sortons d'une pièce de Ionesco, nous la retrouvons un peu partout, dans nos familles, chez nos amis, dans les mystérieux colloques des rues et des cafés, en tous lieux où la conversation tournoie, dès que la comédie sociale naît, dès que nous jouons un jeu qui peut être le plus simple, le plus naturel — et soudain le plus absurde ou le plus irréel. Ses héros traduisent à leur manière notre vie la plus familière et la plus sûre, et la font éclater. À peine différenciés par leurs noms (qui souvent se recouvrent), ils errent à la recherche de leur identité qu'ils tentent de ressaisir dans le souvenir de leur enfance ou dans leurs chimères, à travers leurs désirs, leurs terreurs, leurs fautes, leur espoir renaissant. Ils ne savent plus bien qui ils sont, ni ceux qui les entourent; ils se transforment au cours d'une même scène, changent de personnalité ou d'âge, de caractère, de comportement. Dans le cadre d'un jeu que nous croyons bien connaître, ils jouent un autre jeu, qui perd par moments toute signification claire et ne se soutient plus que par des paroles et des gestes qui tournent sur eux-mêmes dans une liberté totale. Une danse des mots et des corps sur le vide.

Jacques Guicharnaud

[*Un théâtre onirique et satirique*]

En présentant ses phantasmes, ses démons, ses visions intérieures avec l'objectivité du réalisme, Ionesco crée une atmosphère analogue à celle du rêve qui rappelle à la fois Strindberg et Kafka. Dans l'univers de ses pièces, ou bien l'insignifiant prend la plus grande importance et devient l'objet de discussions sans fin, ou bien les plans, les aspirations, les projets sont indéfiniment retardés et contrecarrés jusqu'au point extrême de la frustration et de l'exaspération. De plus, certains thèmes

JACQUES GUICHARNAUD, *Un monde hors de contrôle,* dans *Cahiers Renaud-Barrault,* n° 42, février 1963, © L'Action théâtrale, Paris.

freudiens surgissent et réapparaissent fréquemment, en particulier l'image de la Mère. Rêves dirigés, substitution de personnages, changements d'identité, actes abortifs, tout cela contribue à créer l'impression générale de cauchemar que procure l'ensemble. Il n'est pas non plus difficile d'interpréter les métaphores qui prennent corps sur la scène en termes de psychanalyse. Dans *Amédée ou Comment s'en débarrasser,* on peut estimer que le cadavre qui grandit et les champignons qui s'accroissent font partie de tout un musée de symboles oniriques évoquant un complexe de culpabilité. Et la plupart des personnages eux-mêmes peuvent être comparés à des personnes en état de rêve qui ne se doutent pas le moins du monde qu'elles sont en train de rêver. Pour le spectateur le cours des événements est absurde ou incohérent, mais il est accepté par les personnages qui le jugent réel, authentique et normal, tout comme dans nos rêves nous considérons les égarements les plus délirants comme la seule expression possible et logique de l'univers où nous sommes placés.

Mais considérer le théâtre de Ionesco comme une simple concrétisation de cauchemars serait indûment le restreindre et le rétrécir. Le symbolisme freudien peut être une partie de l'univers du dramaturge, mais il n'en est pas la clé. Les éléments de rêve sont seulement certains éléments bruts d'un monde intérieur, utilisés, transposés et agencés en vue non point de définir l'homme par les zones obscures de sa psychologie, mais de compléter une image perceptible de la condition humaine rendue dans sa totalité.

Cette idée de totalité est très importante. Elle inclut le refus de limiter la condition de l'homme à un seul domaine, celui de la politique en particulier. Il n'y a pas le moindre « engagement » positif dans le théâtre de Ionesco. [...]

Cependant, le désengagement de Ionesco n'exclut pas chez lui une très grande force de dénonciation. Bien que l'on ne puisse guère prétendre que son théâtre fasse partie de la littérature doctrinaire ou orientée, il nous offre pourtant un certain jugement sur le monde au nom de certaines valeurs en marge de l'esthétique et de l'éthique. On distingue aisément à la surface de son œuvre une satire sociale féroce, et c'est même l'élément le plus évident de son humour « noir ». En substituant des comportements imaginaires à ceux de la vie réelle, tout en conservant néanmoins la structure logique de la réalité, Ionesco nous révèle les aspects ridicules, absurdes, et même monstrueux des coutumes et des habitudes sociales. Les entretiens confinant au délire de *La Cantatrice chauve* et les deux ou trois nez de la fiancée dans *Jacques ou la Soumission* ne sont pas là seulement pour provoquer les délices automatiques de l'absurde ou pour recréer une ambiance de cauchemar; de solides liens d'analogie les relient fortement aux données de l'existence quotidienne, et le rire destructeur qu'ils déclenchent rejaillit sur tout ce qui leur correspond dans la réalité. Ionesco crée un univers parallèle au nôtre, et il nous le présente avec la plus grande objectivité, sous une forme strictement réaliste, afin de nous inciter à penser qu'il a le même droit à l'existence que le monde où nous vivons. Et finalement il nous pousse à conclure que notre monde n'est ni plus ni moins justifié que celui que nous voyons sur la scène, et qu'on peut l'estimer tout aussi ridicule.

Ionesco se sert ainsi de l'absurde comme d'une contrepartie de la réalité. Le spectateur rebondit pour ainsi dire de la pièce à l'intérieur de son propre univers avec une sorte de connaissance élargie qui le porte à croire qu'un système en vaut un autre, si l'on s'en tient aux justifications sous-jacentes et aux raisons d'être. La satire de Ionesco est en effet totale; elle aboutit au rejet de toute croyance en une justification raisonnable du comportement, des institutions, ou des valeurs. Son théâtre n'offre aux hommes aucun prétexte pour se prendre au sérieux. Et dans *L'Impromptu de l'Alma,* après avoir ridiculisé les théoriciens et les philosophes du théâtre, il en arrive à se ridiculiser lui-même lorsque, à la fin de la pièce, il se met à exposer ses propres théories.

Dans *Tueur sans gages,* Ionesco entraîne son héros Bérenger vers une scène finale où l'on voit fort explicitement développé le processus de la démystification complète. Bérenger se trouve seul avec un tueur et il essaie de le convaincre du caractère criminel du meurtre et de son inutilité. Au cours de son long monologue, il donne à la fois les arguments pour et contre, et, bien qu'il n'y ait pas de raison de tuer, il découvre simultanément qu'il n'y a aucune raison de ne *pas* tuer. Le bonheur, la fraternité entre les hommes, toutes les bonnes raisons sont détruites, et jusque dans la pensée même de Bérenger, par le silence du tueur ou par ses ricanements méprisants. [...]

Le Tueur, par son « énergie infinie dans l'obstination », triomphe de toutes les valeurs, et même du propre instinct de conservation de Bérenger ; car celui-ci laisse tomber son revolver et offre de lui-même sa nuque au couteau, en murmurant *Que faire... Que faire...*

Tueur sans gages est un parfait exemple de la vision du monde de Ionesco et nous aide à clarifier toutes ses œuvres précédentes. Ionesco a commencé par tourner en dérision la routine quotidienne de l'existence en donnant une forme nouvelle à un thème rebattu. En fait, sa raillerie visait n'importe quelle action, n'importe quelle ligne de conduite, et l'ensemble de son œuvre est un amas de métaphores illustrant l'idée finale de Bérenger : *Peut-être est-ce nous qui avons tort de vouloir exister.* Mais lorsqu'il met en question l'existence même des êtres humains et non point seulement leur comportement, le ton de Ionesco change ; il passe de la farce au pathétique et nous cessons de rire. Car ici ce ne sont pas de simples raisons qui sont en jeu, mais beaucoup plus. Une impression de Grand Guignol se substitue à l'humour, et nous ne considérons pas la chute de Bérenger comme le châtiment bien mérité d'un personnage fondamentalement grotesque, mais comme la conséquence d'une effroyable révélation chez un être qui attire notre sympathie profonde.

La richesse du théâtre de Ionesco — et ce qui le rend également déroutant — provient du mélange des différents domaines qu'il met en question. Une importance égale est accordée à toutes les absurdités, que ce soit la présence des choses, les décisions de l'homme, le désordre social, les conventions de la société, les impulsions psychologiques, la vieillesse, ou les problèmes de la circulation urbaine. Le monde est observé simultanément à tous les étages, et il s'ensuit que le problème principal ou le sujet central n'exclut pas un aperçu plus ou moins fouillé des autres plans. *La Leçon* est à la fois une utilisation quasi surréaliste de certains manuels, une satire de l'enseignement, et un psychodrame terrifiant. Dans

Tueur sans gages, un tableau de la vie quotidienne se mêle au cauchemar engendré par le désordre organisé d'une grande ville moderne, à quoi s'ajoute une étude psychologique, et la tragédie de Bérenger, d'abord à la recherche du Tueur, et finalement face à face avec lui. Par la juxtaposition de thèmes aussi disparates que la satire du trafic intense des grands centres urbains et l'échec progressif de la raison de Bérenger, un univers peu à peu se dessine où toute espèce de hiérarchie se trouve supprimée. Le théâtre de Ionesco est l'image d'un monde où toutes les notions et les choses ont une égale importance — et sont, par là même, sans importance.

Philippe Sénart

Un théâtre théologique

Du *Nouveau Locataire* au *Roi se meurt,* M. Ionesco n'a jamais projeté, sur son théâtre, que la passion de l'Homme. Dans ce monde dont il s'est efforcé vainement d'adapter les mesures aux siennes, dans ce monde où tout ce qui est construit, aussitôt est détruit, dans ce monde où, comme il dit, « rien ne tient, tout s'en va!... » il a pu constater que la seule réalité, c'était l'homme. Mais l'homme est tout entier inscrit dans l'instant unique qu'il sent, perçoit et vit. Ainsi, dans cette rencontre furtive d'un *sujet* et d'un *objet,* l'homme peut-il épouser le monde, le faire exister en lui communiquant sa vie. Seulement, en échange de ce don, il reçoit ses chaînes et, au moment où il se sent le plus libre, le plus souverain, il éprouve ses limites et, quand il se croyait éternel, il se découvre contingent, pris dans un certain temps, dans un certain espace, entre une naissance et une mort. Il a fait vivre le monde et le monde, ingrat, le fait mourir. En s'identifiant à lui, dans la plus instantanée des étreintes, il a pris son mal.

Victime, en définitive, de lui seul, par le mauvais usage qu'il a fait de sa liberté, l'homme qui donnait

PHILIPPE SÉNART, *Ionesco,* coll. « Classiques du XXe siècle », © Éditions universitaires, Paris, 1964.

l'existence, comme un cadeau, à tout ce qu'il touchait, la sent en lui, désormais, comme un mal mortel. Germe de toutes les corruptions et de tous les anéantissements, c'est le *mal d'être*. M. Ionesco en décrit les symptômes, dans *La Vase*[1]. « J'étais dans la force de l'âge, avais bonne mine, beaucoup de prestance, haute taille, de beaux costumes, traits réguliers, expression énergique, tout l'air d'un homme plein de vigueur et de santé, lorsque je ressentis les premiers symptômes du Mal. Cela commença par de très légères, à peine perceptibles fatigues, tout à fait passagères, mais se répétant... » Le mal s'étendant, M. Ionesco se sent de plus en plus exister. Il découvre qu'il a un foie, qu'il digère, qu'il respire, qu'il est placé dans un certain milieu où il doit vaincre continuellement une résistance pour s'affirmer. Bientôt, il n'a plus cette force. C'est que « le mal était descendu partout, en aucun endroit précis; cela n'était localisé en aucun organe; cela rayonnait de façon diffuse, dans tout le corps qui, objet énorme, terriblement encombrant, ne m'appartenait plus, ne m'écoutait plus du tout. Les membres n'obéissaient qu'en rechignant, ou de travers, ou pas du tout, à mes commandes d'ailleurs désordonnées, confuses elles-mêmes. Les articulations étaient rouillées; une paresse sans bornes, une passive anarchie biologique s'était emparée des organes qui se boudaient aussi, se sabotaient réciproquement comme des ennemis irréductibles. Les mâchoires refusaient de mastiquer les rares denrées que, de temps à autre, je leur confiais tout de même; elles laissaient tout le travail à la charge de l'estomac qui, se démettant à son tour de ses fonctions, expédiait les aliments non digérés aux intestins qui en constituaient, déraisonnablement, des stocks, des pyramides, des montagnes pétrifiées. À mesure que mes organes s'engourdissaient, mon esprit se débattait dans une sorte de chaos pâteux... » Jean Reverzy qui était non seulement romancier mais médecin, a merveilleusement analysé ce *mal d'être*. Il l'avait lui-même éprouvé. « L'air me manquait, a-t-il dit[2],

---

1. Eug. Ionesco, *La Vase,* in *La Photo du Colonel,* Gallimard, éd.
2. *Les Arbres et l'Imposture.* Dans *À la recherche d'un miroir,* Julliard, Les Lettres nouvelles.

tandis que s'aggravait le sentiment de mon équilibre précaire... Soif d'air, sensation d'inertie dans mes membres et d'embarras dans mes viscères, incertitude des distances, inconsistance des formes... » Dans la perspective où l'homme, à peine né, commence de se décomposer et de se désagréger, où toute vie n'est qu'une perte continue d'existence, où, dès le premier jour, nous ne cessons d'*être moins,* la mort apparaissait à Reverzy comme l'achèvement normal d'un processus de dislocation et de déperdition entamé à la naissance. Elle était, pour lui, la *perfection* même de la vie. Mais c'est qu'en vivant, Jean Reverzy ne faisait que s'alléger, s'élever. M. Ionesco, au contraire, s'alourdit, s'enfonce, s'envase. Il se couche sur le dos, il aspire un air lourd, il sent pousser les poils de sa barbe, « serrés, touffus, tout mouillés », l'eau monte autour de lui. Tandis que Reverzy se dissolvait dans l'éther, M. Ionesco va se perdre dans la boue. Emmuré ou enterré, il subit, dans sa passion, les *attraits* de l'épaisseur, de la profondeur, de la lourdeur. Il descend aux enfers.

Mais, dans cette descente, une part de M. Ionesco semble « se dégager », se libérer. Au sein du bourbier où il s'enlise, il peut écrire : « Une lucidité étrange émergeait, une pensée sans objet saisissable, la clarté d'un ciel vide... La moitié de ma tête était de plomb, plus lourde encore; l'autre moitié, légère, aérienne... » Cette double disposition d'un être qui, partagé entre la légèreté et la lourdeur, tiré en bas, aspiré en haut, n'a jamais pu être au niveau exact de la réalité, s'exprime dans le théâtre le plus détaché de son époque, le moins adhérent à elle, un théâtre qui semble flotter. M. Ionesco dit lui-même :

« Deux états de conscience fondamentaux sont à l'origine de toutes mes pièces; tantôt l'un, tantôt l'autre prédomine, tantôt ils s'emmêlent. Ces deux prises de conscience originelles sont celles de l'évanescence ou de la lourdeur, du vide et du trop de présence, de la transparence irréelle du monde et de son opacité, de la lumière et des ténèbres épaisses [3]... »

Pour s'affranchir des ténèbres, pour se délivrer de l'existence, M. Ionesco devra *s'en confesser.* Le théâtre

---

3. *Mes pièces et moi.* (Début d'une causerie faite à Lausanne, nov. 1954.) In *Notes et Contre-notes.*

de M. Ionesco est un théâtre de la confession, un théâtre de l'aveu, un théâtre où un secret doit être recherché dans le tréfonds de la conscience et révélé à la lumière du jour. À neuf ans, le petit garçon de La Chapelle-Anthenaise s'était ainsi agenouillé, pour la première fois, dans un confessionnal. Il en sortit « heureux, infiniment léger, purifié ». « Jamais, disait-il encore après trente ans, je ne m'étais senti aussi léger. » Sans doute avait-il trouvé, ce jour-là, le secret. Mais il l'a perdu. Ce n'est peut-être que pour le retrouver qu'il se met en scène, sur son théâtre, dans l'attitude anxieuse du *pénitent*. [...]

Le théâtre de M. Ionesco est un théâtre où l'homme réclame la Promesse. Mais peut-il l'obtenir? Cet état de grâce dans lequel il ressaisirait l'*être* dont il est privé, il l'a perdu pour toujours à treize ans. « J'étais beau quand j'étais petit, écrit M. Ionesco [4]... Je le savais. On me le disait. Quand je mettais mon costume du dimanche pour aller à la messe, j'avais conscience que tout le monde me regardait traverser le bourg. On devait m'admirer... À treize ans, je commençai brusquement à me transformer. À quatorze ans, mon teint n'était plus frais; mes yeux avaient perdu leur éclat; mon nez grossit; mes lèvres s'épaissirent. J'étais devenu laid comme les autres. » C'est, aussi bien, en s'efforçant de retrouver l'enfance, la fraîcheur, la beauté, c'est en remontant vers sa source que M. Ionesco quête l'impossible accomplissement de la Promesse. Orphelin, il a besoin d'une mère : « Ah! Où est ma maman, crie le Vieux, dans *Les Chaises*... je suis orphelin... je veux ma maman. » Exilé, il a besoin d'une terre. « Parle du Berry, mon pays natal... », demande le Vieux à l'Orateur en se souvenant sans doute de La Chapelle-Anthenaise. La terre et la mère ne sont que les deux visages de la même divinité fondatrice et protectrice : c'est la terre-mère. Mais M. Ionesco qui s'acharne à chercher ses racines, qui réclame avec obstination des liens, peut bien s'écrier : « J'ai creusé la terre, j'ai cherché une mère », il creuse en vain, il ne fait que des trous sans fond.

Les racines de M. Ionesco ne plongent, il l'a dit, que dans l'irréel. Parce qu'il ne peut être lié à un sol,

---

4. *Printemps 1939. Les Débris du souvenir. Pages de Journal,* in *La Photo du Colonel,* Gallimard.

à un passé, à une tradition, il essaiera de se détacher, de s'envoler, de trouver dans le ciel l'image de l'impossible cité charnelle. « Il faut désincarner », a-t-il écrit, peut-être seulement par dépit de ne pouvoir s'incarner. Ainsi, à treize ans, il a voulu escalader une montagne. C'était dans un rêve. « Un matin clair, j'avais quitté la maison, dans le creux du vallon, un bâtonnet à la main, en bois de coudrier. Cela avait commencé par un chemin abrupt, caillouteux. À chaque pas, on risquait des entorses. C'était l'été. On voyait le ciel bleu à travers les feuilles et les branches. J'avais débouché sur un carrefour, entre les champs... La clairière... C'était sans doute au mois d'août. La moisson était terminée, dans les champs, le chaume piquait, la vieille cheminaude surgissait d'un des chemins : « Où vas-tu? » Le chemin d'en face à l'autre bout de la clairière. Les arbres en bordure étaient plus élancés, moins touffus, plus secs; plus rocailleux encore le chemin. Avais-je eu des compagnons jusque-là? Je m'étais retrouvé seul avec, dans les oreilles, des échos de voix qui s'éteignaient. Les arbres s'étaient espacés, avaient rapetissé, étaient devenus malingres, s'étaient faits plus rares; la pente de plus en plus rude. J'avais continué à monter... je me souvenais d'une terre plus aride qui soudain avait surgi. Les rails désaffectés d'un train à crémaillère, puis plus d'arbres, plus de rails, des cailloux, des rocs, une terre sèche. Ensuite, pour grimper, il avait fallu s'accrocher à des touffes d'herbe brûlée, aux pierres, au sable, j'avais continué à grimper sur les genoux, à grimper, à grimper... » Jusqu'au moment où il a glissé, où il s'est mis à dégringoler, où il est retombé dans le trou, dans la vie... La fugue mystique du petit enfant Ionesco avait tourné court. Elle ne pouvait aboutir d'ailleurs que dans un ciel sans air, un ciel vide, réplique symétrique, par-delà le plus dérisoire des infinis, d'une terre trop lourde et trop pleine. L'homme ne peut vivre nulle part.

Il ne va nulle part, non plus. Toutes les voies de son salut sont des impasses. Choubert a réussi à atteindre la cime de la montagne magique que M. Ionesco avait vainement tenté d'escalader à treize ans. À force de s'entendre dire : « Monte. Monte. Monte », il s'était tout d'un coup envolé. À force de s'entendre dire : « Sois un homme jusqu'au bout », non content d'aller jusqu'au bout de l'homme, il avait voulu aller au-delà. Ainsi était-il parvenu sur cette *plate-forme* supérieure du monde où l'on est seul, où il n'y a plus ni villes ni bois, d'où l'on ne voit même plus la mer, d'où peut-être l'on peut partir pour le ciel. Mais, lui aussi est retombé. Toutes les forces policières de la terre, chiens, flics, femmes, s'étaient pendus à ses basques pour le rattraper. Elles avaient invoqué la solidarité humaine, le devoir, la patrie, la famille. Nul ne doit faire son salut, seul.

M. Ionesco, pourtant, avait rêvé de recommencer l'aventure d'Icare. « Voler, est-ce digne d'un homme? » objectait, dans *Le Piéton de l'air,* le lourd et épais John Bull. Il ajoutait : « C'est bon pour un criquet. » M. Ionesco pense que l'homme n'est pas un criquet, mais qu'il peut, s'il le veut, être un dieu. *Vouloir, c'est pouvoir,* répète-t-il avec obstination. Ainsi Bérenger n'atteindra-t-il le point culminant de l'univers que s'il le veut, s'il a confiance, s'il ne doute pas de lui. Le *pays où l'on n'arrive jamais* n'est pas une contrée géographique, une *terra incognita* qui est encore à explorer et à conquérir, c'est un royaume moral où l'on ne peut accéder que si l'on est bon et pur, si l'on est frais, si l'on sait aimer. « Aime les gens, dit le *Piéton de l'air,* si tu les aimes, ils ne seront plus des étrangers, il n'y aura plus d'enfer. » Pour être sauvé, il n'est point besoin d'aller au bout du monde, mais il suffit de rentrer dans la Demeure du Père, c'est-à-dire de rentrer en soi-même. Le Père habite notre cœur. Là, seulement, il doit être salué.

C'est pourquoi la Rédemption ne peut s'opérer à haute altitude, dans cet espace sidéral où le *Piéton de l'air* croyait briser les limites de l'Homme, mais où la découverte du Grand Rien ne fait qu'en dissiper les illusions. Pour être dieu, l'homme n'a pas intérêt à faire l'ange. Au lieu de se coller des ailes, il doit plutôt se clouer sur une croix, assumer la souffrance universelle au lieu de la survoler. Ainsi Amédée, en extrayant péniblement le cadavre et l'appartement où il s'est enraciné, en exhumant la Faute, accomplit-il peut-être la passion de l'Homme. Dans le ciel obscur, les prodiges se multiplient, étoiles qui dansent, comètes qui filent, feux qui fusent. Amédée porte, comme une croix, le cadavre sur son dos. Il le tire jusqu'à la berge; il est poursuivi par les sergents de ville, encouragé par les soldats américains et les femmes de mauvaise vie; il tombe à plusieurs reprises. Soudain, écrit M. Ionesco « il se passe une chose assez surprenante. Le corps, entouré autour de la taille d'Amédée, a dû se déployer comme une voile ou comme un énorme parachute; la tête du mort est devenue une sorte d'étendard lumineux et l'on voit apparaître, au-dessus du mur du fond, la tête d'Amédée, enlevé par ce parachute, puis ses épaules, son tronc, ses jambes; Amédée s'envole, échappant aux policiers; l'étendard est comme une grande écharpe sur laquelle on voit dessinée la tête du mort, reconnaissable à sa longue barbe »... Mais Amédée est sauvé malgré lui; il ne comprend rien à ce qui lui arrive. « Je suis confus, je m'excuse Messieurs, Mesdames... ne croyez pas, je voudrais bien rester... Rester les pieds sur la terre... C'est contre ma volonté... je ne veux pas qu'on m'emporte... je suis pour le progrès, je désire être utile à mes semblables... je suis pour le réalisme social... je vous jure, je suis contre la dissolution... je suis pour l'immanence, contre la transcendance... je voulais pourtant assumer le monde... je m'excuse, messieurs-dames, je m'excuse beaucoup. » *Amédée ou Comment s'en débarrasser* n'est qu'une répétition de la Passion. Elle est jouée par un acteur qui n'est pas préparé à tenir son rôle et qui, tout d'un coup, au moment où, racheté peut-être, il s'élève déjà dans les cieux, découvre qu'il n'est pas *à la hauteur*. Il est trop tard pour se démettre. Amédée doit se résigner à être le héros de l'humanité; seulement, il est à prévoir que, dans son Ascension, il n'ira pas loin. Pour monter, « il faut avoir confiance », disait le *Piéton de l'air*. Amédée n'a pas confiance.

Aussi bien, n'est-ce pas dans les cieux que M. Ionesco prépare un trône à l'Homme. « Le théâtre de M. Ionesco, a écrit M. Jacques Lemarchand, n'est pas un théâtre psychologique, un théâtre symboliste, un théâtre social, ni poétique, ni surréaliste. » Il est, peut-être, simplement, un théâtre théologique, le théâtre où l'Homme est entraîné aux Enfers par le poids du péché originel et où il essaie de retrouver la lumière, la grâce, le paradis perdu. Mais, à la théologie de M. Ionesco, il manque Dieu.

Renée Saurel

Les blandices de la culpabilité

Dans *Victimes du devoir,* drame parodique, qui est la quatrième pièce de Ionesco, l'un des personnages, Nicolas d'Eu, y va d'un petit prêche sur le théâtre : « Le théâtre actuel est encore prisonnier de ses vieilles formes, il n'est pas allé au-delà de la psychologie d'un Paul Bourget. Il ne correspond pas au style culturel de notre époque, il n'est pas en accord avec l'ensemble des manifestations de l'esprit de notre temps. » Suit un petit manifeste : « Nous abandonnerons le principe de l'identité et de l'unité des caractères au profit du mouvement, d'une psychologie dynamique... Nous ne sommes pas nous-mêmes... La personnalité n'existe pas... Quant à l'action et à la causalité, n'en parlons plus. Nous devons les ignorer totalement, du moins sous leur forme ancienne trop grossière, trop évidente, fausse, comme tout ce qui est évident. » Il semble que l'on puisse, sans abus, voir dans cette déclaration de Nicolas d'Eu la profession de foi de Ionesco, et que ce dernier ait assez bien réalisé ce programme dans les cinq pièces de lui jouées jusqu'à ce jour. Mais suffit-il de désintégrer, de faire éclater des formes anciennes pour se dire auteur de notre temps? Ionesco, moquant Paul Bourget, et tout le théâtre psychologique, n'en demeure-t-il pas moins rattaché à cette tradition? Peut-on voir *Les Chaises* ou *Comment s'en débarrasser* sans penser, entre autres, à l'admirable *Danse de mort* de Strindberg? Son théâtre, qui illustre de façon parfois simplette les données freudiennes, et qui a pour pivot central le sentiment de la culpabilité, n'est-il pas déjà, en dépit de ses audaces formelles, un théâtre périmé, riche en séquelles, pauvres en prémices?

Ces questions, on ne se les poserait peut-être pas si Ionesco lui-même, poussé par sa malice, qui est grande, par son angoisse, qui ne l'est pas moins, ne les provo-

Renée Saurel, *Ionesco ou les blandices de la culpabilité,* dans *Les Temps modernes,* nº 103, juin 1954.

quait. S'il ne s'offrait de lui-même à l'autopsie, en vous accusant par exemple de le « défendre » par amitié, et de garder secret sur son œuvre, un jugement plus féroce. Il pique quelques banderilles, vous accule à la sincérité, et puis s'en va tout confus, navré, en s'excusant. Car, eût-il cent fois raison qu'il plaiderait encore coupable. Position inexpugnable, d'où il tire à la fois ses voluptés et ses tourments.

Lui-même ne peut nier que ce sentiment de la culpabilité soit, du moins jusqu'à ce jour, la pierre angulaire de son théâtre. D'où le pathétique de ce dernier, et sa monotonie. Culpabilité qui commence à la naissance, et ne finit qu'à la mort. Culpabilité de l'homme et de la femme dans l'amour ; vis-à-vis des parents, des enfants, de la société. Monde clos, où chacun, le dos tourné à l'avenir, ressasse indéfiniment ses fautes passées.

Ce thème du couple coupable, de l'échec commun, s'ébauchait déjà dans la première pièce de Ionesco. [...]

On voit que toutes ces pièces ont en commun quelques thèmes, leur atmosphère onirique, et un manque absolu d'ouverture sur le monde. Tout s'y passe dans le giron maternel. On chercherait en vain dans ces drames un signe de notre temps, ne fût-ce que cette subordination du destin individuel au destin collectif, qu'un Pichette, par exemple, exprimait dans les *Épiphanies* et dans *Nucléa*. Rien n'y témoigne de notre époque, si ce n'est peut-être cette fureur de désintégration, cette négation de l'être. Ce serait un théâtre sépulcral, un théâtre irrespirable s'il n'y avait l'humour, signe de tendresse, de santé. Un humour qui fait souvent songer — on l'a dit maintes fois — à celui de Monnier. Ionesco, d'ailleurs, accepte cette parenté, et même la revendique. Il faut obligatoirement, dit-il, passer par Monnier : découvrir l'insolite sous le banal, et la « merveille d'être » au fond du quotidien grisâtre. Le reste est littérature. C'est-à-dire, pour lui, le contraire de la poésie.

Bernard Dort

L'avant-garde en suspens

Toute avant-garde naît d'une rupture avec le gros de la troupe, d'un refus aussi de la discipline et de l'allure communes. Mais cette rupture, ce refus n'ont pas de sens en soi puisqu'ils peuvent aussi bien signifier un décrochage momentané, décidé dans l'intérêt même du gros de la troupe, la découverte de nouvelles perspectives mises ensuite à profit par tout le groupe, qu'une sécession réelle : la conquête, par quelques éléments détachés, d'une véritable autonomie.

Certes, à l'origine du théâtre d'avant-garde, il ne semble pas y avoir d'ambiguïté : la rupture est totale, sans esprit de retour. Le refus opposé au théâtre établi est inconditionnel. L'avant-garde s'en prend au postulat fondamental du théâtre traditionnel : l'existence de caractères humains dont le heurt ou l'attraction réciproques constituent le drame ; à ses structures dramatiques : ce cloisonnement des individualités et des consciences ; enfin à son fonctionnement même, à cette complicité, un peu honteuse, qui rapproche, qui rassemble la salle et la scène, qui les fait se comprendre à demi-mot, presque se refléter... Et le drame lui-même : ce drame entre des essences psychologiques, ce dialogue entre les individus séparés, est mis en question [1]. Bref, c'est d'une négation en bloc qu'il s'agit. Ainsi que le proclamait Artaud :

---

1. Michel de Ghelderode : « J'ai dit et répété que le théâtre, à mon regard, commençait là où cessait l'art du dialogue, la littérature dramatique. » (In *Les Entretiens d'Ostende,* l'Arche éditeur, Paris, 1956.)

Le théâtre doit s'égaler à la vie, non pas à la vie individuelle, à cet aspect individuel de la vie où triomphent les caractères, mais à une sorte de vie libérée qui balaie l'individualité humaine et où l'homme n'est plus qu'un reflet.

À cette entreprise, nos dramaturges d'avant-garde se sont attelés de deux manières : les uns refusent d'emblée le théâtre bourgeois et toutes ses structures; les autres opèrent en quelque sorte à l'intérieur de ce théâtre, poussent celui-ci à son terme et le détruisent par l'absurde.

En apparence, le refus inconditionnel semble la solution la plus saine. Un Ghelderode, un Audiberti, un Pichette n'en ont pas douté une seconde. Le théâtre bourgeois, notre théâtre, est sclérosé. Il ne peut plus nous offrir que des variations sur des thèmes, des personnages ou des situations donnés : un Anouilh ou un Roussin y sont passés maîtres. Bref, il n'est plus qu'un jeu et sa forme extrême, le théâtre de littérature, ne nous propose plus que la quintessence de ce jeu : les pièces de Jean Giraudoux. Une seule solution paraît donc aller de soi : par-delà la dramaturgie du XIXe siècle, revenir aux sources, retrouver le « Grand Théâtre », celui des Élisabéthains, celui de l'Âge d'Or espagnol, celui de la Cité grecque, voire celui du Siècle de Louis XIV... Un théâtre de large participation sociale nourri des mythes de l'Homme de la Cité; un théâtre tragique, peut-être même magique...

Rien, en effet, ne paraît plus cohérent. À condition de ne pas tenir compte du public. À condition de ne faire du théâtre qu'un pur exercice littéraire : une création verbale, toute formelle, magique justement.

Car Audiberti a beau faire éclater le langage de Racine, Pichette retrouver celui de Théophile, Ghelderode convoquer sur la scène tous les figurants de Breughel ou de James Ensor... aucun de ces dramaturges ne sort vraiment du système établi. Au contraire, ils y entrent, en otages, devenus les fournisseurs d'un théâtre de *culture,* des décorateurs de la scène bourgeoise. [...] En replaçant le théâtre sous le signe d'une éternité mythique, on parvient non à le libérer mais à le rendre encore plus dépendant du présent, de son public, et les spectacles réalisés risquent de n'être qu'un alibi ou une mystification. Car de deux choses l'une : ou ce théâtre réussit auprès du public, c'est-à-dire que celui-ci l'accepte, et le dramaturge en devient vite le prisonnier, son œuvre étant alors réduite à justifier ce public, ou ce théâtre ne réussit pas, et le voilà qui tourne à vide : théâtre de la Cité sans Cité, bientôt théâtre de provocation qui ne provoque plus personne, simple grimace.

C'est assez dire que la rupture, ici, ne peut être franche — dans la mesure où elle ne dépend pas d'abord de l'auteur mais de son public. Quelques dramaturges aujourd'hui l'ont compris. Pour rompre avec le théâtre bourgeois, ils ont d'abord voulu s'en délivrer eux-mêmes : non en le refusant les yeux fermés, mais en ne s'y soumettant ou en ne l'acceptant que pour mieux le nier et le miner de l'intérieur.

Aussi leur théâtre est-il un théâtre de la solitude et de la complicité, mais d'une solitude et d'une complicité (entre la scène et la salle) exacerbées jusqu'au silence, jusqu'à la mort.

Une telle opération est double : il s'agit ou de faire le vide sur la scène traditionnelle ou, au contraire, d'y instaurer une monstrueuse prolifération d'objets et de langage, mais elle ramène toujours l'univers clos du théâtre bourgeois à ses données brutes, elle le réduit à l'insignifiance (insignifiance des choses et des paroles détournées de toute ustensilité ; insignifiance du silence, de ce *blanc* qui peu à peu gagne toute la scène) [2].

Comme l'écrit Ionesco :

Deux états de conscience fondamentaux sont à l'origine de toutes mes pièces : tantôt l'un, tantôt l'autre prédomine, tantôt ils s'entremêlent. Ces deux prises de conscience originelles sont celles de l'évanescence ou de la lourdeur ; du vide

---

2. Le sujet de la seconde pièce d'Adamov : *L'Invasion,* est caractéristique de ce double mouvement, puisqu'il s'agit, sur une donnée éminemment traditionnelle (Maurice Blanchot a bien décelé la ressemblance entre *L'Invasion* et *Chatterton* — cf. *L'Observateur,* nº 19 du 17 août 1950 : « Le Destin de l'œuvre »), de développer une sorte de lutte entre deux langages : le langage indéchiffrable des manuscrits laissés par l'écrivain qui n'est plus, littéralement, que de la matière, une matière proliférante, et le langage de la vie quotidienne menacé par le vide, de moins en moins signifiant, de plus en plus blanc, rongé et disloqué.

et du trop de présence ; de la transparence irréelle du monde et de son opacité ; de la lumière et des ténèbres épaisses.

Et Ionesco d'osciller entre la liberté radieuse du *rien* et la tyrannie matérielle, élémentaire du monde :

... L'angoisse se transforme soudain en liberté ; plus rien n'a de l'importance en dehors de l'émerveillement d'être, de la nouvelle, surprenante conscience de notre existence dans une lumière d'aurore, dans la liberté retrouvée ; nous sommes étonnés d'être, dans ce monde qui apparaît illusoire, fictif, et le comportement humain révèle son ridicule, toute histoire, son inutilité absolue ; toute réalité, tout langage semble se désarticuler, se désagréger, se vider, si bien que tout en étant dénué d'importance que peut-on faire d'autre que d'en rire ? Pour moi, à un de ces instants, je me suis senti tellement libre, ou libéré, que j'avais le sentiment de pouvoir faire ce que je voulais avec les mots, avec les personnages d'un monde qui ne me paraissait plus être qu'une apparence dérisoire, sans fondement.

Certainement, cet état de conscience est très rare, ce bonheur, cet émerveillement d'être dans un univers qui ne me gêne plus, qui n'est plus, ne tient guère ; je suis, le plus souvent, sous la domination du sentiment opposé : la légèreté se mue en lourdeur ; la transparence en épaisseur ; le monde pèse ; l'univers m'écrase. Un rideau, un mur infranchissable s'interpose entre moi et le monde, entre moi et moi-même, la matière remplit tout, prend toute la place, anéantit toute liberté sous son poids, l'horizon se rétrécit, le monde devient un cachot étouffant. La parole se brise, mais d'une autre façon, les mots retombent comme des pierres, comme des cadavres, je me sens envahi par des forces pesantes contre lesquelles je mène un combat où je ne puis avoir que le dessous [3]...

Le drame est devenu un *anti-drame*. Action et personnages se sont effacés au profit d'un chaos élémentaire ou d'une absence généralisée. Entre le trop d'être et le manque d'être, il n'y a pas de médiation : l'un ouvre sur l'autre, et la scène est le lieu de cette perpétuelle métamorphose qui se produit pour tout le monde et pour personne. Car ce théâtre, à la limite, refuse tout public. Il est le fait de son auteur seul. Une passion vécue sans

3. Dans *Les Cahiers des Saisons* (nos 1 et 2), aux Éditions de Minuit : « Le point de départ, Théâtre et antithéâtre. »

relâche et qui ne peut être communiquée. Une passion inintelligible. Comme le dit un personnage de *Sortie de l'acteur :* « Le monde passe. Les spectres, non. »

Du reste, que le spectateur (puisque ici on ne peut plus parler de public) — ce spectateur solitaire, le double de l'auteur — refuse ou accepte cette passion, cela n'a, au fond, pas grande importance, puisque, à la fin, rien ne s'est passé. Ce théâtre a consumé le monde, mais imaginairement. En fait, c'est ce théâtre qui s'est supprimé, qui s'est détruit lui-même. Voyez la conclusion des *Chaises :* la parodie est devenue réalité, la réalité a sombré dans la parodie. Reste la mort. Une mort silencieuse et glorieuse. En passant par l'épreuve du *trop* et celle du *rien,* le petit-bourgeois accède à l'éternité des archétypes. Le cercle s'est refermé. En niant le théâtre établi, l'avant-garde a seulement réussi à doter celui-ci d'une *profondeur* mythique.

Serait-ce donc que toute avant-garde est condamnée ou par son public (qui la récupère) ou par son propre mouvement (un mouvement d'autoholocauste) à apporter de l'eau au moulin de ce qu'elle nie? Serait-ce qu'elle ne peut échapper à un statut parasitaire? Sans doute, si l'on considère le phénomène comme un seul bloc. Il est pourtant un *travail* de l'avant-garde, de cette avant-garde engagée à l'intérieur même du théâtre bourgeois, qui mérite d'être pris en considération.

Dans son premier mouvement, l'avant-garde est dissociation des éléments qui, imbriqués les uns dans les autres et rendus presque méconnaissables, constituent la scène bourgeoise : ce lieu que des générations de spectateurs semblent avoir tapissé de leurs signes, ce langage fait de sous-entendus, d'apartés... Elle rompt le ciment de complicité qui unissait les choses les unes aux autres et en faisait un salon, une chambre où le spectateur se sentait « comme chez soi »; elle brise cette gangue de paroles usées, banales, à travers laquelle le sens circulait, comme à couvert. Du moins, ces choses, ces banalités, elle les tire hors de cette lumière chaude, épaisse et dorée dans laquelle elles avaient perdu leur identité, et elle nous les révèle.

Ainsi dépouillée de ses oripeaux, la scène est mise à nu. L'espace, jusqu'alors masqué, voilé par un réseau de significations psychologiques, resurgit, et sur cet espace scénique, les choses sont restaurées dans leur matérialité brute. Le spectacle n'est plus une confidence, une dispute de ménage élargie aux dimensions de la salle. Il apparaît en clair. Bref, une certaine *littéralité* théâtrale est par là recouvrée : littéralité des techniques qui ne signifient plus qu'elles-mêmes, sans trompe-l'œil; littéralité d'un langage qui se trouve brusquement, comme l'écrit Vannier[4], « *exposé* sur la scène ». L'expression « donner en spectacle » se charge à nouveau d'un sens plein. Le spectateur lui-même est en quelque sorte « désenglué ». Il se préparait à être complice, à savourer, en catimini, quelque intrigue bien mijotée, dans la pénombre de son théâtre. Or l'opération ne prend plus. Le langage ne le berce plus. Le décor ne lui est plus familier. Les mots et les choses ont retrouvé un relief irréfutable. Ils n'ont pourtant pas changé. Seulement, ils se sont déplacés. Maintenant le spectateur ne les sent plus : il les voit.

La véritable fonction de l'avant-garde est là : c'est une fonction thérapeutique. Faisant le vide sur la scène ou révélant le trop-plein de cette scène, elle en détache le spectateur. Elle rompt cette unité organique de la scène et de la salle que fondait la certitude d'un arrière-monde et de valeurs communes. Elle restaure le spectacle dans sa condition de *chose vue,* de chose à regarder.

Mais il est évident que cette fonction ne peut être que passagère, et que le « degré zéro » du théâtre [5] qu'elle tend à promouvoir constitue à la fois l'horizon et le mirage de toute avant-garde.

Ensuite, le théâtre reste à faire. Mais je crois bien qu'il ne peut être fait qu'à partir de là — à partir de ce rapport nul, de nouveau indéterminé, entre le spectateur et la représentation théâtrale.

---

4. Cf. Jean Vannier : « Langage de l'avant-garde » ainsi qu'André Muller, « Techniques de l'avant-garde », in *Théâtre populaire,* nº 18, 1er mai 1856.

5. Dont *En attendant Godot* constitue la plus parfaite approximation : un spectacle en deçà à la fois du naturalisme et du symbolisme. Un spectacle *réaliste,* mais dont la réalité est réduite au minimum, n'étant plus celle du *on,* d'une vie transie par la mort.

Jean Vannier

[*Un théâtre parasite*]

Cette soirée (où *Le Nouveau Locataire* fait suite à *Comment s'en débarrasser*) nous permet de faire le point sur certains aspects de l'œuvre de Ionesco. Il apparaît clairement que cette œuvre a le même substrat que la comédie de Boulevard : la famille bourgeoise, dont la fonction seule varie dans l'une et dans l'autre. Le théâtre de Boulevard, en effet, même quand il nous fait rire des individus et du jeu sordide de leurs intérêts, n'en joue pas moins foncièrement sur notre complicité avec la famille bourgeoise, puisqu'il nous présente celle-ci comme le miroir le plus apte à nous révéler la « Nature humaine » : nous l'acceptons d'emblée comme un milieu sans opacité, où se réfléchissent en toute clarté des vérités psychologiques éternelles. Ionesco a eu au moins le mérite de nous arracher à ces alibis, et d'attaquer la famille bourgeoise dans ses assises mêmes, dans ses assises verbales notamment. Aussi est-ce le langage, et non plus la psychologie, qui devient chez lui la source originelle du comique : un langage-objet qui n'exprime pas des intentions et des sentiments, mais qui nous dévoile la structure de l'intimité familiale, de cette intimité dérisoire fondée avant tout sur des rites verbaux et des signes de reconnaissance.

Mais si Ionesco nous propose bien la famille bourgeoise comme un objet de scandale, il fait de ce scandale une fatalité. Car il ne nous offre pas de recours contre le mal qu'il dénonce : il n'en montre jamais les rapports avec les contradictions présentes de la société, avec un moment de l'histoire que nous pourrions dépasser. Ces rapports humains qu'il nous révèle dans leur pauvreté, il nous les donne au contraire comme la forme de toute

Jean Vannier, (Compte rendu de) *Comment s'en débarrasser* et *Le Nouveau Locataire,* dans *Théâtre populaire,* n° 27, novembre 1957, vie sociale. Aussi la comédie de la famille bourgeoise ouvre-t-elle chez lui sur une tragédie, ou plutôt sur un poème de la mort bourgeoise. Nul besoin de chercher bien loin la signification de *Comment s'en débarrasser.* Ces deux époux qui passent leur vie à observer la « progression géométrique » d'un cadavre, c'est le couple petit-bourgeois qui ne trouve plus son unité que devant la mort. Cet appartement qu'envahissent les champignons, comme celui des *Chaises,* était cerné par les eaux, et dont les occupants ont perdu tout contact avec la vie du *dehors,* c'est l'image dégradée de l'appartement bourgeois ; la différence, c'est que celui-ci n'est plus le lieu privilégié où se développent les « passions » humaines, mais le tombeau où l'homme est muré. Transformation sans grande importance : nous n'avons pas quitté avec Ionesco l'*intérieur* bourgeois, cet univers fermé sur lui-même, sans « ailleurs », coupé du mouvement de l'histoire.

C'est un thème proche de celui-ci que nous retrouvons dans *Le Nouveau Locataire.* Le héros en est un « Monsieur » qui s'installe dans sa nouvelle chambre, mais dont les meubles sont si nombreux qu'ils finissent par occuper toute la surface habitable, et par ensevelir vivant leur propriétaire. Malgré un désaccord entre Postec et Siné [1] dont le programme fait état, la représentation ici est assez heureuse, quand, pour donner corps à ce cauchemar du Multiple, elle nous propose l'image d'une sorte de Foire aux Croûtes du meuble petit-bourgeois. Car ces objets qui étouffent le « nouveau locataire » sous leur abondance sordide, ce sont bien ceux du *salon* bourgeois, mais *hors d'usage,* et proliférant d'une façon si anarchique que leur ustensilité se supprime elle-même. La scène de Ionesco n'est que le négatif de celle du Boulevard : celle-ci était un lieu fait pour l'homme, surchargé des signes de son règne ; celle-là pousse ce plein jusqu'à la nausée, retournant ainsi contre l'homme les objets qui portaient sa marque. Dans cette image d'un individu dépossédé de lui-même par l'invasion des objets, nous reconnaissons l'obsession de la mort. De la mort et non de l'absence : Ionesco ne nous peint pas, comme Beckett,

---

1. Respectivement metteur en scène et décorateur, lors de la première représentation de la pièce. *(Note de l'éditeur.)*

l'impossibilité d'être au monde, mais un monde où l'homme est changé en *chose*. C'est le dernier avatar du théâtre petit-bourgeois : après avoir été le refuge du « cœur » humain et de ses problèmes, il se referme enfin sur une humanité réifiée.

Lorsque M. Gintzburger, le directeur du Théâtre d'Aujourd'hui, nous dit dans sa revue qu'il faut encourager à tout prix un théâtre d'expérience, nous ne voulons pas le contredire. Mais il s'agirait de s'entendre : plus qu'un théâtre d'expérience, l'œuvre de Ionesco, par exemple, ne serait-elle pas un parasite du théâtre traditionnel, et même ce qu'on appelle en biologie un « faux parasite », puisqu'elle vit à ses dépens tout en contribuant à le perpétuer? Et il nous faut bien nous rendre à cette évidence : dans le domaine culturel, c'est toujours le parasite qui rend service au parasité.

Pierre-Aimé Touchard

Un nouveau fabuliste

Les politiques savent bien qu'ils auraient tort d'établir comme pierre de touche du bon ou du mauvais dans l'œuvre d'art le fait qu'elle semble ou non prendre parti. Ce qu'ils veulent, c'est qu'on prenne *leur* parti et cela les amène à nier tout caractère de beauté à des œuvres universellement admises comme belles avant eux. Ils cherchent à donner mauvaise conscience à ceux qui continuent à se sentir solidaires de l'humanité tout entière. Assurés, malgré toute expérience humaine, d'avoir découvert des vérités politiques, économiques, sociales, scientifiques et métaphysiques éternelles, ils ne redoutent point de rendre leurs propres jugements esthétiques périssables du seul fait qu'ils ont voulu si impérieusement les dater. Ils cherchent à substituer à ce lent accord intemporel des esprits qui consacre l'œuvre d'art à travers les siècles, un accord immédiat, catégo-

Pierre-Aimé Touchard, *Un nouveau fabuliste,* dans *Cahiers Renaud-Barrault,* nº 29, février 1960, © L'Action théâtrale, Paris.

tique et sans réserve dont ils imposent le respect par la terreur. Une telle attitude n'est pas nouvelle. On ne saurait l'attribuer seulement à tel ou tel parti : elle est symptomatique d'un état d'esprit déterminé, dont les exemples sont multiples dans l'histoire.

Or, c'est contre cette attitude spirituelle et non contre des partis ou des régimes contemporains que Ionesco a écrit *Rhinocéros* et l'apparente introduction de son théâtre dans la lutte politique est trompeuse. Autant que jamais l'auteur se refuse au combat « hic et nunc » auquel voudraient l'entraîner ses adversaires. L'apologue de *Rhinocéros* sera vrai pour tous les temps.

En vérité, si portée vers l'universel que soit la conclusion de la pièce, si exemplaire que paraisse se présenter le refus qu'elle comporte, nous étions ici à l'origine devant un acte essentiellement individuel. Le personnage nommé Bérenger qui affirme sa volonté de rester seul devant un monde cédant au terrorisme intellectuel, c'était uniquement Ionesco lui-même qui répondait « non » à ses accusateurs, dont les attitudes sont reprises par le personnage symbolique nommé Jean. Mais parti de lui-même, l'artiste sort de lui-même, afin de découvrir une vérité plus large (c'est ce que Ionesco appelle une *découverte objective dans la subjectivité*). Ionesco est de ces écrivains dont l'œuvre littéraire, roman ou théâtre, est le moyen d'expression spontané. Il écrit une pièce comme d'autres écrivent un journal, sous l'impression d'un choc émotionnel, et parfois il revient par une œuvre nouvelle sur ce qu'il a déjà exprimé, pour le rendre plus clair, plus général, plus percutant aussi. En ce sens, *Rhinocéros* n'est guère autre chose qu'une seconde version de *L'Impromptu de l'Alma*. Pour tout dire, c'est *L'Impromptu de l'Alma* mis en fable.

Si l'on veut bien s'amuser à se ressouvenir de la plupart des *Fables* de La Fontaine, on remarquera qu'elles sont nées de la même façon : une observation sur la vie, la prise de conscience d'une adhésion ou d'un refus, et l'invention d'une « histoire » qui deviendra symbole et donnera une signification universellement compréhensible à ce qui n'était au départ qu'un incident de la vie personnelle. Pensez aussi bien à *La Cigale et la Fourmi* qu'à *L'Huître et les Plaideurs*. Un politique aurait écrit un plaidoyer pour l'attribution aux artistes des droits à la Sécurité sociale et un pamphlet contre les abus de pouvoir des magistrats. Ainsi il aurait débouché sur « la réalité », il serait intervenu dans la lutte sociale... et sa révolte aurait été se perdre dans la multitude des revendications d'un jour, alors que la cinquantaine de vers d'une fable survit après des siècles.

Là éclate une vérité que nos politiques s'obstinent à nier, une *réalité* sur laquelle ils ferment les yeux. C'est que les chances de durée d'une œuvre écrite, et donc ses chances d'action, dépendent non pas de la sincérité ou de la passion, ou de la lucidité, ou de la puissance démonstrative, ou de la logique de l'auteur, mais de sa forme et de sa vérité intemporelle.

Le fabuliste croit à la forme et à la vérité éternelle de l'apologue qu'il a choisi parce qu'il croit que la recherche de la forme est le moyen le plus efficace d'atteindre l'essence de la réalité, et parce qu'il croit à une certaine identité de l'homme à travers les accidents de l'histoire. Ionesco a écrit aussi là-dessus des lignes lumineuses que je ne me retiens pas de citer :

L'expression est pour moi fond et forme à la fois. Aborder le problème de la littérature par l'étude de son expression (et c'est ce que doit faire à mon avis le critique) c'est aborder son fond aussi, atteindre son essence. Mais s'attaquer à un langage périmé, tenter de le tourner en dérision pour en montrer ses limites, ses insuffisances ; tenter de le faire éclater, car tout langage s'use, se sclérose, se vide ; tenter de le renouveler, de le réinventer ou simplement de l'amplifier c'est la fonction de tout « créateur » qui, par cela même, ainsi que je viens de le dire, atteint le cœur des choses, de la réalité vivante, mouvante, toujours autre et la même à la fois. Ce travail se fait aussi bien consciemment qu'instinctivement, avec humour si l'on veut et dans la liberté, avec des idées, mais sans idéologie si j'entends par idéologie un système de pensée fermé, un système de slogans médiocres ou supérieurs, hors de toute vie qu'il ne parvient plus à intégrer mais qui continue de vouloir s'imposer comme s'il était expression même de la vie. Je ne suis pas le premier à avoir signalé les écarts qu'il y a, dans l'art aussi bien que dans la vie « politique », entre les idéologies et les réalités. Je situe donc l'art dramatique davantage sur le plan d'une certaine connaissance libre que sur celui d'une morale, d'une morale politique. Il s'agit bien entendu d'une connaissance affective, participante, d'une découverte objective dans sa subjectivité, d'un témoignage, non pas d'un enseignement, d'un témoignage de la façon dont le monde apparaît à l'artiste.

Quand La Fontaine eut fini de raconter l'histoire du *Chat, de la Belette et du petit Lapin,* histoire née d'une vérité d'expérience, comme *Rhinocéros* et également invraisemblable en apparence, il en tira la conclusion comme on constate un fait :

> Ceci ressemble fort aux débats qu'ont parfois
> Les petits souverains se rapportant aux rois.

C'est ce qu'on appelle la moralité de la farce, moralité objective née d'une expérience subjective, moralité hors du temps, née d'une expérience datée. Telle est la vision propre au fabuliste. On a pu lui reprocher de son vivant de consacrer son génie à ajuster de petits vers sur des thèmes enfantins. Mais sans ce travail méticuleux, sans ce souci exigeant de la forme, quel écolier quitterait aujourd'hui les bancs de sa classe muni de ces parfaits dictons dont se fait ce qu'on appelle la sagesse des nations? L'action proprement révolutionnaire, c'est-à-dire l'action en profondeur, tendant à provoquer un changement d'attitude durable, c'est la fable qui la fait, bien plus que le combat politique.

En sortant des représentations de *Rhinocéros,* s'il est donc inévitable que certains spectateurs se disent : « Ionesco entre dans la lutte politique. C'est une pièce antifasciste, ou c'est une pièce anticommuniste. Voyez comme il prend parti », je voudrais les avoir convaincus que ce serait refaire à l'inverse, et périlleusement, le chemin que le poète a parcouru pour tirer d'une expérience de ce temps une constatation qui la dépasse et qui est vraie pour l'homme de tous les temps. Quand Bérenger, à la fin de *Rhinocéros,* s'écrie : *« Je suis le dernier homme! Je le resterai jusqu'au bout! Je ne capitule pas »,* il n'énonce pas, comme on sera tenté de le croire, un refus politique en présence d'une option actuelle, mais un refus de la politique dans la mesure où elle tend à aliéner l'homme. Il tire la moralité de l'histoire, après quoi, Ionesco pourrait ajouter, comme un jour La Fontaine :

> Cela soit dit en passant. Je me tais.

Geneviève Serreau

[*Sur une voie nouvelle*]

Il est assez curieux de noter que la nécessité ressentie par Ionesco de se justifier face aux partisans d'un théâtre social l'a entraîné lui-même sur une voie nouvelle où précisément le social et le politique se trouvent intégrés à l'univers typiquement ionescien. C'est de 1957 que date l'invention du personnage de Bérenger. Il fera sa première apparition dans *Tueur sans gages* (créée en 1959). Certes, avant de s'appeler ainsi, Bérenger fut le Jacques de *La Soumission,* le Vieux des *Chaises,* le Choubert de *Victimes du devoir,* l'Amédée de *Comment s'en débarrasser.* Ses traits, d'une pièce à l'autre, sont reconnaissables. Mais ce qui distingue Bérenger de ses frères, c'est qu'il est impliqué, lui, dans une réalité sociale ou une aventure qui dépassent la cellule initiale de la famille, du couple. Ionesco fait sienne la définition que Sartre en propose à l'occasion de *Rhinocéros : « Bérenger est un de ceux qui, dans une société d'oppression, dans sa forme politique, la dictature, où tout le monde paraît consentant, témoignent de l'avis de ceux qui ne sont pas consentants : car c'est alors que le pire est évité*[1]. » Il la fait sienne, tout en souhaitant, avec raison, que Bérenger, soit compris d'abord comme un personnage, car *« poétiquement, ce n'est pas sa pensée mais sa passion et sa vie imaginaire qui compteront ».*

Naïf, crédule, imaginatif, discoureur, exalté, dépressif, humilié, peureux mais obstiné, nous l'avons vu jusqu'ici se débattre sans espoir, comiquement, au creux de la prison familiale, soit pour se donner l'impression d'exister, soit pour fuir l'Ordre sous lequel on prétend l'écraser; assis de guingois dans l'existence et ripostant

GENEVIÈVE SERREAU, *Histoire du Nouveau Théâtre,* coll. « Idées »,

1. *Notes et Contre-notes,* coll. « Pratique du théâtre », Gallimard, 1962, p. 97.

par l'humour à sa propre angoisse. Le voici lancé à présent hors de l'étroit univers du couple avec ses aigreurs ressassées, ses tendresses usées, et se mesurant aux problèmes qui agitent ses contemporains.

La cité radieuse où l'Architecte, au premier acte de *Tueur sans gages,* promène un Bérenger émerveillé, un autre Bérenger, le Choubert de *Victimes du devoir,* en avait déjà eu la vision de rêve : « *Au fond apparaît, lumineuse dans les ténèbres, dans un calme de rêve, entourée de tempête, une miraculeuse cité... une fontaine jaillissante, des jeux d'eau, des fleurs de feu dans la nuit...* » Or la cité, la vraie, celle de *Tueur sans gages,* est déserte, le Mal y est déjà installé, sous la forme d'un mystérieux Tueur dont les victimes ne se comptent plus. Mais ce que Bérenger découvre avec stupeur, car là est le véritable scandale, c'est que chacun non seulement connaît l'existence du Tueur mais l'admet passivement, par habitude, et même tente de composer avec le Mal. Seul Bérenger, parce qu'il ressent ce scandale dans toute son horreur, n'aura de cesse — il l'affirme — qu'il n'ait fait arrêter le Tueur et ne l'ait livré à la justice. La détermination est franche, la voie droite, la conscience claire. C'est ensuite que tout s'embrouille. Et d'abord la réalité extérieure la plus banale. Tout le début du second acte, qui se situe au seuil de la chambre de Bérenger, est une sorte de cacophonie burlesque où le langage se fait spectacle (dans le style de *La Cantatrice chauve*) et qui donne du monde l'image d'une réalité en miettes : cauchemar d'un rêveur à demi éveillé, dans lequel les dialogues se chevauchent et s'emmêlent en un magma angoissant de cris, d'appels, de phrases disloquées. Pour le spectateur, cette impression d'angoisse se trouve renforcée par la présence, à ce moment-là sur scène, du mystérieux Édouard, installé silencieux dans la chambre de son ami Bérenger. Sa silhouette immobile dans la pénombre, la serviette qu'il tient sous son bras — serait-ce lui, le Tueur? — créent, par contraste avec la complexe cacophonie de la rue, un malaise, une tension qui annoncent déjà la tragique impasse finale.

Suit une scène burlesque où la Mère Pipe rassemble ses partisans politiques en clamant d'absurdes slogans totalitaires. Un seul opposant de bon sens : un ivrogne qui, entre deux hoquets, affirme la supériorité des artistes et des penseurs sur les politiciens. Habile façon pour Ionesco de *dire* sa vérité sans avoir l'air de se prendre au sérieux.

Cependant, paralysé dans un encombrement croissant de voitures, Bérenger est incapable de mette la main sur la serviette qui contient les preuves de la culpabilité du Tueur. Cette serviette s'est soudain multipliée, elle est partout, elle renaît sous le bras de chacun, jamais la bonne, comme dans les cauchemars. Et soudain la scène se vide, laissant place à la rencontre décisive. Pour une fois, la prolifération des mots et des objets ne correspond pas au maximum de densité de la pièce et à sa chute. Au-delà des délires verbaux et de l'enchevêtrement complexe des situations, elle atteint sa dimension finale par une longue note unique, tendue jusqu'à l'insupportable, sur un plateau dénudé.

La rencontre de Bérenger et du Tueur, face à face, occupe à elle seule tout un petit acte, au cours duquel, en un admirable monologue, Bérenger tente de persuader le Tueur — muet et ricanant — de renoncer à tuer. Bérenger n'a pour toute arme que le langage. Maniée avec aisance au début, l'arme ne tarde pas à s'émousser, à s'enrayer : c'est que le langage charrie, mêlée à des cris sincères, toute une morale apprise, dérisoire, qui se décompose face à l'évidence brute de la mort. Il y a pis encore, et c'est l'attraction qu'exerce sur Bérenger l'indéchiffrable présence du Tueur. Ionesco l'indique lui-même : *« En fait, Bérenger trouve en lui-même, malgré lui-même, contre lui-même, des arguments en faveur du Tueur. »* Nous retrouverons le même comportement ambigu chez le Bérenger de *Rhinocéros*.

Poursuivant son entreprise de dénonciation sociale et d'autojustification, Ionesco utilise une seconde fois son chaplinesque Bérenger dans une pièce, *Rhinocéros,* souvent considérée comme une pièce à thèse, en tout cas comme une œuvre aux intentions parfaitement intelligibles. Elle lui assure une très large audience internationale. Écrite dans un langage limpide, dont la simplicité contraste avec le fantastique de l'intrigue, *Rhinocéros* se prêtait mieux que toute autre à la traduction. C'est en allemand, d'ailleurs, qu'elle fut créée, au Schauspielhaus de Düsseldorf (en novembre 1959), avant d'être montée en français, deux mois plus tard, par Jean-Louis Barrault.

La pièce repose sur une expérience vécue vingt ans plus tôt par Ionesco à Bucarest et dont le souvenir traumatisant ne l'a jamais quitté : il avait vu, au cours des années 37, 38, un nombre croissant de ses relations, de ses amis, adhérer au mouvement fasciste de la Garde de Fer. Comme atteints par un virus, les uns après les autres adoptaient soudain des points de vue, une allure, un style, des projets — en accord avec l'idéologie montante — qui les métamorphosaient à leur insu, rendant dorénavant toute communication impossible pour les rares témoins de cette transformation que le virus avait épargnés. « *Le propos de la pièce,* déclare Ionesco, *a bien été de décrire le processus de la nazification d'un pays* [2]. » Les spectateurs allemands de la création ne s'y trompèrent pas.

Ce virus, dans la pièce, c'est la rhinocérite, qui va transformer peu à peu en rhinocéros tous les habitants de la petite ville où Bérenger mène la vie sans horizon et sans histoires d'un modeste employé de bureau. Il ne restera plus pour finir, dans la ville, qu'un seul être humain : Bérenger. Bérenger est le dernier à mesurer la nocivité et la gravité du virus, il lui opposera par la suite une révolte et un dégoût instinctifs qu'il sera bien obligé, plus tard, de fonder en raison, sur un humanisme un peu vague mais ferme. Jusqu'au moment où, gagné à son tour par une sorte de fascination, ou par la terreur de rester seul, il s'aperçoit que, même s'il le voulait, il ne *pourrait* pas devenir rhinocéros.

La rhinocérite, cela est bien évident, ne se réduit pas à la seule nazification ; tout totalitarisme, de droite comme de gauche, s'y trouve impliqué, et, plus généralement, tout conformisme. Les Soviétiques l'ont parfaitement perçu, qui, désireux de monter *Rhinocéros* à Moscou, prièrent l'auteur d'en retoucher le texte de façon que le nazisme apparût comme la seule interprétation possible de la rhinocérite. Devant le ferme refus de Ionesco, ils renoncèrent à monter la pièce.

Bien des éléments complexes se trouvent ligués pour empêcher la métamorphose de Bérenger en rhinocéros.

---

2. *Notes et Contre-notes,* p. 183.

Jacques, lui, avait fini par se soumettre au conformisme familial ; Choubert, contraint et forcé, acceptait de mastiquer et d'avaler le coriace héritage culturel de générations de petits-bourgeois ; Amédée prenait la fuite mais en multipliant excuses et regrets et en protestant de ses bonnes intentions à l'égard de ses semblables ; et le premier Bérenger lui-même finissait, après une vaine et longue et courageuse lutte, par se résigner à la loi du Tueur. Donner raison au plus grand nombre, par peur, par lâcheté, par humilité, plus rarement par ruse, est une tentation que connaissent tous les Bérenger de Ionesco (qu'ils portent ou non ce nom). Le Bérenger de *Rhinocéros* n'y échappe pas plus que les autres ; et on a pu lui reprocher — à lui et à son auteur — de fuir, sous prétexte d'anticonformisme, toute nouveauté, toute vision constructive de l'avenir. Mais il accepte pour la première fois d'assumer sa différence. Hésitant, paniqué, malade d'incertitude, il demeure malgré tout fidèle à l'humanité tout en s'écriant : « *Je suis un monstre, je ne suis qu'un monstre.* »

Le succès extraordinaire de *Rhinocéros* (en Allemagne, Amérique, Angleterre, Italie, Pologne, Japon, Scandinavie, Yougoslavie, etc.) stupéfia Ionesco : « *Les gens la comprennent-ils comme il faut?* se demanda-t-il. *Y voient-ils le phénomène monstrueux de la " massification "? En même temps qu'ils sont " massifiables ", sont-ils aussi, et essentiellement, au fond d'eux-mêmes, tous, des individualistes, des âmes uniques*[3]*?* »

Jacques Schérer

[*Ionesco, logicien idéaliste*]

[Ionesco] a déclaré en vingt occasions qu'il ne voulait apporter aucun message, qu'il n'exprimait que l'homme et ses angoisses, que toute précision historique lui parais-

Jacques Schérer, *L'Évolution de Ionesco,* dans *Les Lettres nouvelles,* n° 1, mars-avril 1960, © éd. Les Lettres nouvelles, Paris.

---

3. *Op. cit.,* p. 188.

sait une limitation et même une falsification. Il a pourtant avoué en termes assez clairs, lors du récent débat de l'Odéon, que *Rhinocéros* était né de l'angoisse qu'il avait naguère éprouvée en assistant à la nazification progressive de la Roumanie, son pays natal. Il serait grossier d'en conclure que la pièce est antifasciste. On entend bien qu'une élaboration artistique tout intérieure peut transformer jusqu'à la rendre méconnaissable une émotion qui n'était insérée dans la biographie et dans l'histoire qu'à l'origine. Ionesco en est-il pour autant justifié dans sa prétention d'exister en dehors de l'histoire? Je ne le crois pas. Il n'a que sarcasmes pour la pensée et pour l'art de Brecht, de Sartre, d'Adamov, de tous ceux qui ont voulu dire quelque chose. Outre que son irrationalisme est fait pour plaire surtout à ses ennemis naturels, ne dit-il pas, lui aussi, quelque chose, et quelque chose d'important? Son théâtre ne serait pas si fort, s'il était vide. Ionesco répondra qu'il parle de l'homme, non de l'homme situé, politisé. Mais on sait depuis le XVIIIe siècle que l'homme éternel est un mirage et que tout homme vit dans une certaine civilisation, qui ne l'explique pas totalement, qui ne l'enrégimente pas nécessairement, mais qui le nourrit. Le refus de dépasser ces contradictions me paraît limiter l'œuvre actuelle de Ionesco comme il a limité l'œuvre de Brecht dans sa période expressionniste ou celle d'Adamov dans sa période abstraite. Pourquoi Ionesco ne veut-il pas admettre que la vérité universelle d'une œuvre n'est pas nécessairement en contradiction avec la valeur historique qu'elle peut avoir *aussi?* Pourquoi veut-il refuser à l'homme la réalité?

Il s'établit intrépidement, sur le plan des principes du moins, dans un nihilisme terroriste qu'il défend avec une vigueur, une intelligence et une puissance comique dignes d'une meilleure cause. Mais il sait que tout bon général, même au lendemain d'un triomphe, doit prévoir des positions de repli. Il s'en est ménagé deux, en intégrant à son système d'images et d'idées deux des fantasmes les plus en vue de la société contemporaine : celui de la solitude et celui de l'anticonformisme. Il admettrait, me semble-t-il, que *Rhinocéros,* comme déjà le *Tueur,* met en scène un homme qui éprouve progressivement et de plus en plus tragiquement sa solitude, et aussi que l'apologue des rhinocéros est le tableau des ravages du conformisme. Que valent ces positions de repli?

Le thème de la solitude et celui de l'angoisse, qui lui est lié, marquent notre époque, comme ils ont marqué l'époque romantique et comme ils doivent marquer toute époque où l'apparition de nouvelles structures sociales pose à l'individu des problèmes qu'il est incapable de résoudre avec ses seules forces. Il n'en résulte pas que leur nature de thème, c'est-à-dire d'image illusoire, ne puisse pas être reconnue à partir du moment où l'on a pris conscience de la situation historique qui leur a donné naissance. Il n'est pas de la nature de l'homme éternel d'être solitaire et angoissé — sinon dans certaines perspectives religieuses. Ionesco, devant son public de l'Odéon, définissait ainsi le problème central de son *Rhinocéros :* un homme seul peut-il avoir raison contre tous? Il ne répondait pas à cette question, mais d'autres déclarations font penser que la réponse était affirmative. C'est là une position idéaliste. Dans la réalité, il n'y a pas d'homme seul... On n'est seul que dans le cauchemar ou dans la folie. Quand des problèmes graves et réels se posent et que les opinions se divisent, on est dans un camp. Ce n'est que si les problèmes sont présentés sous la forme d'un rêve rhinocérique qu'on peut s'imaginer seul. Mais alors, avoir raison ne signifie plus rien. C'est la raison dans un rêve.

Quant au conformisme, il a mauvaise presse. L'individualiste qui recherche un refuge dans les thèmes moroses y discerne d'emblée un mal, qu'il se dispense d'analyser. Il est pourtant aisé de voir que la notion de conformisme est relative, et qu'elle ne trouve un contenu que par rapport à autrui d'une part, par rapport au vrai et au faux d'autre part. Si les uns sont conformistes, c'est que les autres ne le sont pas, et qu'il y a donc clivage de la société en deux groupes au moins. On ne peut pas dire que vivre soit conformiste; c'est vivre d'une certaine manière qui peut l'être. Une condamnation absolue et non spécifiée du conformisme est donc dépourvue de sens. Elle ne peut en acquérir un que si l'on dit à quoi on se conforme. Pour reprendre une formule qui a éprouvé sa pertinence dans d'autres domaines, on est toujours le conformiste de quelqu'un. En outre, si l'on se conforme à une manière de vivre ou de penser, c'est qu'on la croit bonne, et si l'on présente à un public les problèmes de l'adhésion, on doit lui dire si ce à quoi l'on adhère est vrai ou faux. Là est l'option essentielle que Ionesco refuse. En vidant l'attitude humaine de son contenu, en en faisant une pure image, il n'est justifié que par la discipline réflexive appelée logique formelle, et dont le personnage du Logicien dans son *Rhinocéros* montre qu'il la connaît bien. Il s'agit dans ce procédé de raisonnement de mettre la réalité entre parenthèses et de dérouler des mécanismes purement logiques (ou prétendus tels) entre, par exemple, Socrate et un chat, les unicornus et l'Afrique. Ce Logicien est la seule personne au monde à qui il soit indifférent que ce à quoi l'on se conforme soit vrai ou faux. Son introduction dans le drame est un aveu *.

Henri Gouhier

[*Bérenger*]

Devant Jacques, symbole de la « soumission » se dresse, depuis quelques années, Bérenger, symbole de : « s'il n'en reste qu'un... ». Dans *Tueur sans gages,* « il sera celui-là, s'il n'en reste qu'un » pour croire à la justice et tenter la conversion du méchant à l'humain. Dans *Rhinocéros,* « il sera celui-là, s'il n'en reste qu'un » pour ne pas capituler devant la métamorphose universelle qui transforme le groupe en troupeau. Or, Bérenger revient dans *Le Piéton de l'air,* mais pour rappeler à ceux dont il voudrait faire ses semblables plus la condition humaine que la condition sociale. M. Eugène Ionesco a

Henri Gouhier, *Un humanisme tragique,* dans *Cahiers Renaud-Barrault,* nº 42, février 1963,

* M. Schérer nous demande de préciser qu'il s'agit ici d'un texte écrit en 1960 et que les objections d'ordre idéologique qu'il contenait n'atténuent en rien les appréciations qu'il porte d'autre part sur la valeur dramatique de l'œuvre de Ionesco.

voulu créer un personnage-type, selon la tradition de la comédie italienne et surtout à l'exemple du Charlot de M. Chaplin. Bérenger n'est pas un surhomme parmi les hommes : ce n'est qu'un homme, un simple homme et même un homme simple, au milieu de sous-hommes ; or, l'homme est un être qui se pense et, avec cette pensée de soi, il a le privilège de savoir qu'il meurt. Pascal se glisse dans le trou du souffleur...

Dans *Le Piéton de l'air,* Bérenger est un auteur dramatique qui vient de prendre volontairement sa retraite. Dans une dernière interview, il explique pourquoi. On devine très vite qu'à ses yeux toute littérature engagée est plus ou moins en service commandé ; la mystification de la démystification n'est pas son affaire ; le conformisme du non-conformisme l'agace ; dans toute avant-garde, il voit déjà une arrière-garde... Mais, ici encore, la critique passe du social à l'humain : la crise est intérieure ; elle ne tient pas seulement au fait qu'il y a quelque chose de pourri dans la République des lettres : elle exprime un besoin profond de renouvellement intime. À dire vrai, il semble que Bérenger ne puisse plus échapper à deux connaissances dont les effets sont peut-être assez divergents : la connaissance du destin temporel de l'humanité si elle persévère dans son être actuel, et celle de la condamnation à mort inscrite dans toute vie. [...]

Si obsédant que soit, dans la pièce, le thème de la mort, elle est comme subordonnée à celui de l'autre confidence recueillie par le journaliste :

Je me demande si la littérature et le théâtre peuvent vraiment rendre compte de l'énorme complexité du réel... Nous vivons un cauchemar épouvantable ; jamais la littérature n'a eu la puissance, l'acuité, la tension de la vie ; aujourd'hui, encore moins. Pour être égale à la vie, la littérature devrait être mille fois plus atroce, plus terrible. Si atroce qu'elle puisse être, la littérature ne peut présenter qu'une image très atténuée, très amoindrie de l'atrocité véritable...

Pourtant, Bérenger ajoute : *« du réel merveilleux aussi, d'ailleurs ».* Que signifient ces derniers mots ? Ils n'atténuent en aucune façon le sens des lignes qui précèdent : l'ensemble du passage définit le mouvement qui fait le sujet de la pièce.

Que l'homme accepte de se vouloir homme et le

« réel merveilleux » se découvre dans sa nature même. Là est le symbole du *Piéton de l'air. « Voler est un besoin indispensable à l'homme » :* sa misère vient d'avoir oublié qu'il est capable de s'envoler. *« Que dirait-on si l'on oubliait de marcher? » :* C'est donc l'homme selon la nature qui s'écrie : *« Moi, je veux rester un piéton de la terre et un piéton de l'air. Je veux marcher dans les airs, sans avoir recours à la mécanique artificielle. »* Et la joie de l'homme qui a retrouvé sa nature le soulève, c'est bien le cas de le dire : la joie sans cause et sans limites, la joie qui est certitude et paix, lui donne d'invisibles ailes. Mais, du haut du ciel, on voit loin de tous côtés... Parlons comme Rousseau : « L'homme selon la nature » suit alors la sinistre aventure de « l'homme de l'homme ». Parlons comme Pascal : « le roi dépossédé » mesure la distance entre sa dignité originelle et sa déchéance actuelle. Ici et là, l'opposition de notre nature et de notre histoire définit notre condition. Si M. Eugène Ionesco la pense peut-être comme Jean-Jacques, il la sent comme Pascal. Bérenger s'aperçoit que la littérature fut une fois égale à la réalité : dans l'Apocalypse.

Hans Mayer

[*Le vide idéologique*]

En France, les choses ont commencé avec les moralistes, avec Montaigne si l'on veut. Élaboration de maximes et de réflexions, sagesse pratique à l'usage d'une société bourgeoise qui se constitue lentement, qui se reconnaît dans la thèse de La Rochefoucauld, pour qui l'égoïsme est le moteur principal des actions humaines, et dont elle adopte les maximes, forme linguistique comprise. Dans *La Cantatrice chauve,* tout cela est repris. Insupportables formules de politesse, schéma traditionnel des bonnes manières, déroulement idéal des conver-

HANS MAYER, *Ionesco et les idéologies, Ansichten zur Literatur der Zeit* (Points de vue sur la littérature contemporaine). Éditions Rowholt, Reinbeik/Hamburg, 1962, repris dans *Théâtre populaire,* n° 50, 2e trimestre 1963. (Traduction de Gilbert Badia.)

sations mondaines. Mais là, tout est poussé jusqu'à l'absurde, jusqu'à la démence. Les conversations tournent à vide. Elles ne sont pas seulement, comme chez Georg Büchner ou, plus tard, chez Wedekind, déviées de telle sorte que les paroles d'un personnage frôlent l'interlocuteur sans l'atteindre. Les paroles, ici, n'atteignent même plus ceux qui les prononcent. Leur langage n'est qu'une articulation, une répétition de mots, imposée par des habitudes sociales, et derrière laquelle il n'y a ni sentiment ni pensée.

Ionesco n'a pas été le premier, en France, à choisir pour thème littéraire cette idée de la pétrification du langage. Flaubert savait bien pourquoi il faisait collection de ces clichés et de ces « sottises », comme il disait. Monsieur Homais, le pharmacien de *Madame Bovary,* est un personnage ionesquien, bien avant Ionesco.

Proust a pris la suite. Il avait l'habitude de retenir et d'analyser soigneusement les clichés linguistiques ou les tournures journalistiques, vides de tout sens, qu'il entendait dans le salon de la duchesse du Guermantes ou lisait dans *Le Figaro,* encore qu'il s'intéressât davantage au processus de pétrification du cœur qu'au processus social dont ces phénomènes étaient l'expression. Après Flaubert et Proust, Ionesco constate que la civilisation bourgeoise française est à son déclin. Ses textes dramatiques illustrent la phase où la pétrification extrême va nécessairement se muer en un nouveau chaos, en un furieux déchaînement. Son théâtre absurde sert très manifestement ce but. Voilà pourquoi il lui faut des figures du type Rorschach, qui ne signifient rien, le langage de ses personnages ne signifiant lui-même plus rien, puisque ces personnages sont vides de sentiment aussi bien que de pensée. Privés de volonté aussi, car tous les personnages importants et caractéristiques de Ionesco sont des monstres d'aboulie et de soumission.

Telle est, fondamentalement, la situation du dramaturge Ionesco, pas aussi éloigné qu'il le voudrait de toute idéologie, pas coupé, non plus, de toute tradition. Son théâtre n'a pas pu échapper au sort qui en fait, à son tour, un élément de réification. On pourrait écrire aussi des dialogues de dessins animés sur Eugène Ionesco et sur l'avant-garde. C'est là que s'amorce le tournant, là que Kenneth Tynan refuse de suivre cet auteur roumain de langue française dont il admira les débuts. Ce tournant, pourtant, était nécessaire pour Ionesco, pour son évolution d'auteur dramatique.

Il a donné lieu, dans le théâtre de Ionesco, à l'apparition d'un type nouveau. Le signifiant et le signifié coïncident de nouveau. Le monde des robots bavards a trouvé un interlocuteur. Celui-ci était déjà esquissé dans le personnage de Jacques, que l'on forçait à obéir, puis dans celui du Choubert de *Victimes du devoir* (« pseudo-drame », précise Ionesco en sous-titre). C'est dans *Tueur sans gages* que, pour la première fois, le personnage porte le nom de Bérenger; il le porte encore dans *Rhinocéros* et, plus tard, dans *Le Piéton de l'air*. Ionesco entend donc le désigner comme un type. Il est d'ailleurs caractéristique qu'avec l'apparition de ce personnage, intervient une modification dans la structure formelle des pièces de Ionesco. Les premières étaient des scènes de revue plus ou moins longues. *Tueur sans gages* et *Rhinocéros* sont des pièces en trois actes, respectueuses des normes habituelles.

Mais l'apparition de ce qu'on pourrait appeler un héros fait surgir une constellation nouvelle dans la dramaturgie de Ionesco. Ces protagonistes, en effet, Choubert et Bérenger — créés sans nul doute à l'image de l'homme Eugène Ionesco, comme nous le laisse entendre leur créateur —, qu'ils nous livrent leurs souvenirs de jeunesse ou nous proposent des auto-interprétations, font preuve, vis-à-vis du monde figé qui les entoure, non seulement d'une humanité inattaquable, mais aussi d'une apparente faiblesse de caractère, qui, présentée d'une façon très particulière, doit finalement être reconnue comme une grande fermeté morale. Nous disions que les personnages typiques du dramaturge Eugène Ionesco étaient tous des monstres d'aboulie. C'est du moins ce qui apparaît au premier coup d'œil, mais il convient de réviser ce jugement. À vrai dire, la société qui vit dans le monde des lieux communs n'est pas plus aboulique qu'elle n'est dépourvue d'esprit ou de sentiment. En fait, elle ignore ce que sont l'esprit, la volonté, le sentiment. Un corps qui a reçu une poussée et continue, de ce fait, à se mouvoir, ne fait pas preuve de volonté en continuant à décrire sa trajectoire. C'est ce que

Brecht exprimait par cette phrase : « Du point de vue d'un ballon de jeu, les lois du mouvement sont difficilement concevables. » Quiconque était intérieurement prédestiné à devenir rhinocéros peut se donner des allures extrêmement volontaires et énergiques, comme M. Dudard de *Rhinocéros,* qui se décide très vite, intellectuellement d'abord et bientôt physiquement, à devenir rhinocéros et à rentrer dans le rang. Ce comportement n'a rien à voir avec la vraie volonté.

Choubert et Bérenger, au contraire, se présentent d'abord comme des monstres d'aboulie, des rêveurs, des inadaptés à la vie de tous les jours, simplement trop polis et trop soumis, objets de scandale pour les bien-pensants. Il y a en eux une peur profonde de vivre et de mourir, une tendance à s'aligner sur les autres; ils ont une conscience morale, qu'ils essaient de faire taire; ils sont hésitants et toujours pris de panique.

Bérenger, qui, dans *Tueur sans gages,* se dresse pour délivrer le monde de son assassin, prononce au plus profond de la nuit son monologue de la peur et de la lâcheté, avançant tous les arguments qui pourraient l'inciter à retourner à son existence paisible. Et pourtant il ne fait pas demi-tour. Dans *Rhinocéros,* Bérenger est bourrelé de sentiments contradictoires, les sentiments d'un homme qui a peur de perdre sa qualité d'homme, et qui aspire en même temps à devenir rhinocéros pour se trouver enfin de plain-pied avec ses contemporains. Il ne devient cependant pas rhinocéros, mais demeure Bérenger, finit par accepter d'être ce qu'il est et de rester le dernier homme, jusqu'au bout, se défendant et ne capitulant pas sur le plan intellectuel.

L'unique et sa propriété. Sa propriété est sa peur. Son thème, c'est la victoire morale sur cette peur. Mais la peur des Choubert et des Bérenger plonge dans l'enfance. Presque tous les renseignements biographiques que cet homme livre au public se rapportent à son enfance. L'aboulie de ce héros, qui n'est pas sans rapport avec l'obstination, rappelle par plus d'un côté le comportement des enfants. Jacques, Choubert, Amédée, Bérenger sont des êtres adultes mais non adaptés à la vie, demeurés sous le charme de l'enfance. Celle-ci est à la fois force et faiblesse. Dans une déclaration qui mérite d'être retenue, et qui a paru le 10 avril 1958 dans *Les Lettres Françaises,* en réponse à une enquête sur l'« avant-garde », le dramaturge, se défendant contre le reproche qu'on lui ferait d'avoir du monde une vision petite-bourgeoise, réplique : « *Est-ce que les enfants sont déjà petits-bourgeois? Peut-être. Cette vision du monde, je la retrouve chez une quantité de " petits-bourgeois " de tous les siècles; chez le petit-bourgeois Salomon, qui était roi, cependant, chez le petit-bourgeois Bouddha, qui était prince; chez le petit-bourgeois Shakespeare, le petit-bourgeois saint Jean de la Croix et chez beaucoup d'autres petits-bourgeois encore...* » Laissons de côté le roi Salomon et Bouddha, Shakespeare et les mystiques espagnols : il n'y a là que boutade. L'important, c'est la référence aux enfants. Elle ne fait que prolonger ce que Ionesco, dans le même article, avait exposé comme étant le thème véritable de tout ce qu'il a écrit. Souvenir d'une rue interminable dans le sud de Paris ; le soir tombe, l'enfant va faire des commissions, les jeunes filles qui passent, près de lui, en se hâtant, lui font l'effet de spectres. Il évoque ce souvenir : presque tous ces êtres, qui vivaient alors, sont probablement morts aujourd'hui :

> Je suis pris de vertige, d'angoisse. C'est bien cela, le monde : un désert ou des ombres moribondes. Les révolutions peuvent-elles y changer quoi que ce soit? Les tyrans, aussi bien que les illuminés qui se sont manifestés depuis, sont morts aussi. Le monde est autre chose encore ; je n'avais pas dépassé l'âge de l'enfance lorsque, dès mon arrivée dans mon second pays, je pus voir un homme assez jeune, grand et fort, s'acharner sur un vieillard, à coups de pied et de poing. Ces deux-là aussi sont morts, depuis.
>
> Je n'ai pas d'autres images du monde, en dehors de celles exprimant l'évanescence et la dureté, la vanité et la colère, le néant ou la haine hideuse, inutile. C'est ainsi que l'existence a continué de m'apparaître. Tout n'a fait que confirmer ce que j'avais vu, ce que j'avais compris dans mon enfance : fureurs vaines et sordides, cris soudains étouffés par le silence, ombres s'engloutissant, à jamais, dans la nuit. Qu'ai-je à dire d'autre?

Dans *Victimes du devoir,* Choubert est sans cesse contraint, par sa femme Madeleine et par le policier, incarnation de la société, de replonger dans son enfance, dans son passé, d'évoquer les ombres d'autrefois. Bérenger, lui, vit dans la peur et dans l'enfance. Les décisions, apparemment morales, qu'il prend de lutter contre l'assassin qui terrorise la ville, ou contre l'aberration des rhinocéros, sont moins des décisions pesées, réfléchies, que des entêtements d'enfant. Aussi ne peuvent-elles aboutir à un résultat que pour les Choubert, les Bérenger, les Ionesco, engagés dans une lutte contre l'angoisse et la peur de la mort. À condition qu'ils réussissent. Pas de doute, il y a bien là une idéologie, non une position de moraliste. Le théâtre de Ionesco n'est pas absurde, ou en tout cas il ne l'est plus. Il comporte un message. Destiné, il est vrai, au seul Ionesco. *Rhinocéros,* quelque interprétation ou mise en scène qu'on en propose, ne proclame aucune maxime apte à fournir le principe d'une loi générale. Bérenger demeure seul dans le monde des rhinocéros. Sa position est uniquement négative. On ne nous laisse nullement entendre qu'il ait une chance de métamorphoser un jour les rhinocéros en hommes.

Peut-être tout cela n'est-il pas tellement une question de psychologie, puisque aussi bien les remarques sur le comportement des enfants et l'angoisse de vivre ne tendent pas à nous proposer une interprétation psychologique de pièces de théâtre, mais à faire apparaître, grâce au texte, à l'auto-interprétation et aux déclarations de l'écrivain, les positions intellectuelles caractéristiques d'un Choubert et d'un Bérenger. Sans doute s'agit-il moins de l'homme Ionesco — on peut étudier ses pièces sans s'intéresser à lui — que de *l'écrivain* Ionesco. La véritable problématique d'Amédée, Choubert et Bérenger est une problématique d'écrivain.

La question posée est celle de l'écriture, dans un monde où l'on se sent seul, et dont la réalité apparaît comme un perpétuel anéantissement, comme le passage constant d'une gesticulation fébrile à un brusque silence. Il semble qu'il n'existe plus alors ni idéologie ni message. On se sent solidaire de ce roi qui a parlé de *vanitas vanitatum,* ou de ce prince qui nous enseigne à ignorer le monde puisque le monde n'est rien à ses yeux. L'apparition de Shakespeare dans cette énumération résulte sans doute d'un malentendu. Le véritable antagoniste, c'est Brecht. Dans ses invectives ultérieures contre le dramaturge allemand, Ionesco précise sa position beaucoup mieux que dans l'article du 10 avril 1958, où il va jusqu'à s'efforcer d'intégrer le personnage de Mère Courage à son monde à lui, Ionesco : cette chronique de Brecht sur la guerre de Trente Ans enseignerait surtout, selon lui, que « le temps use et tue », et démontrerait « la déperdition de l'homme dans le temps, dans l'existence ». Brecht était déjà mort quand parut cet article. Ce qu'il eût pu y répondre, on le trouve déjà dans ses « Remarques sur le Jeu de Mère Courage et de ses enfants ».

Un individu unique et sa propriété : la menace de l'angoisse et de la mort. Un idéologue se berçant de l'illusion qu'il combat toute idéologie. Un auteur dramatique porteur d'un message destiné à un seul. Mais toutes ces individualités, si fières de leur liberté, qui parlent et écrivent contre la civilisation de masse, sont justement l'expression de cette civilisation de masse. Les pièces de Ionesco contre la réification deviennent des composantes de cette réification-là. Ce phénomène, Ionesco ne l'ignore nullement. Son jeu, souvent répété, qui consiste à faire « du théâtre sur le théâtre », la destruction de l'illusion théâtrale, le nom de Ionesco cité dans des pièces de Ionesco, tout cela ne fait pas seulement partie de la tradition comique française depuis Molière et son *Impromptu de Versailles,* qu'il est arrivé à Ionesco de pasticher. Cela donne aussi à penser que l'écrivain ne se méprend pas sur le sort d'un vide idéologique devenu lui-même idéologie. Quand Ionesco proclame : « Nous avons Ionesco et Ionesco, cela suffit », il y a là plus qu'un gag, plus que la volonté de détruire l'illusion. « Cela suffit », en effet. Pour Ionesco.

Agnès Nicolaïevna Mikheieva

[*Ionesco et la crise du monde bourgeois*]

Eugène Ionesco, l'un des principaux leaders de l'« avant-gardisme contemporain » est peut-être en

Agnès Nicolaïevna Mikheieva, *Quand les rhinocéros se promènent sur scène,* le théâtre absurde d'Eugène Ionesco, © Éditions Arts, Moscou, 1967. (Traduction de Mme Losski.)

comparaison des autres « absurdistes » celui qui a exprimé de la façon la plus claire et la plus logique les idées et l'esthétique du théâtre absurde. Ces idées correspondent à la vision du monde de certaines couches de la bourgeoisie moderne qui vit dans un système de monopoles. Affirmant l'impossibilité de rien changer à l'ordre des choses existant, ils expriment en fait ce qui constitue ses intérêts. Dans la société bourgeoise, il y a toute une armée de théoriciens qui est au service de la classe dirigeante. Ainsi les sociologues bourgeois actuels ont entrepris de créer le mythe d'une sorte de transformation automatique du capitalisme en une société où n'existeront plus les problèmes d'antan; cette société porte le plus souvent maintenant le nom de « société industrielle » (et aussi de « néocapitalisme », « état de prospérité générale », etc.).

Ils créent des méthodes de planification et de programmation sociales qui ne transforment pas les rapports de production bourgeois, qui ne liquident pas la propriété privée des moyens de production et d'échange. Par là même, ils font croire que toute révolution est inutile ou même nuisible et qu'il est possible, au contraire, de résoudre les problèmes sociaux par voie de coopération des classes dans le cadre de cette « société industrielle », grâce à l'accroissement progressif de la puissance de production.

Tout ceci est prêché afin de sauvegarder la structure capitaliste de l'économie. Soutenue par ses théoriciens, la bourgeoisie moderne à monopoles nourrit des espérances très optimistes concernant son avenir qui supprimera les contradictions sociales encore existantes grâce au progrès technique constant.

Les théoriciens du théâtre absurde, y compris Ionesco, considérant la société fondée sur la propriété privée non comme un phénomène social et historique concret, mais comme quelque chose qui est conditionné par la nature humaine et l'érigeant en quelque sorte en absolu, reflètent bien les aspirations de ces milieux de la bourgeoisie. Les idées défendues par les « absurdistes », selon lesquelles le monde n'est soumis ni aux lois naturelles et scientifiques, ni aux lois sociales, dans lequel toute tentative de transformation de l'ordre social est inutile, et par conséquent, toute activité sociale au nom du bien de l'humanité, n'a aucun sens, en imposent à ces milieux bourgeois et lui sont même indispensables.

De ce fait, le théâtre absurde se trouve placé par son contenu objectif au service des milieux les plus réactionnaires de la société capitaliste moderne, milieux qui redoutent tout changement et tout mouvement progressiste. Mais il faut souligner que tout *en servant en fait les intérêts de la grosse bourgeoisie,* les « absurdistes » *ne reflètent* absolument *pas ses opinions*. Car les couches de la bourgeoisie qui se trouvent au pouvoir raisonnent de façon fort réaliste et sont très loin du pessimisme d'outre-tombe des « absurdistes », ou des existentialistes, qui incarnent les aspirations d'une partie de la société bourgeoise pour laquelle l'écroulement de la classe à laquelle elle appartient apparaît comme la fin du monde en général.

Dans la société capitaliste moderne se poursuit le processus de polarisation des classes en deux groupes : le groupe petit mais puissant des magnats des monopoles d'une part et les diverses couches de classes laborieuses d'autre part. En outre, la petite-bourgeoisie tend de plus en plus à occuper la position de classe laborieuse, ruinée par la concurrence de monopoles gigantesques. Pourtant la petite-bourgeoisie a toujours nourri l'illusion de se transformer en société de gros bourgeois. La perte de ces illusions est ressentie de nos jours dans la petite-bourgeoisie et dans la classe intellectuelle où s'expriment ses opinions comme la fin de l'homme lui-même. Ces opinions sont parfaitement reflétées dans les œuvres des artistes modernistes actuels et en particulier dans le théâtre absurde.

Les « absurdistes », exprimant la vision du monde des classes moyennes de la société se révoltent à leur manière contre la société bourgeoise qui leur enlève leurs perspectives d'avenir, et critiquent toute une série de phénomènes. À notre époque, un bourgeois ne peut pas ne pas prendre une certaine partie de ces critiques à son propre compte, mais ceci, bien entendu, à doses limitées et sur des problèmes précis. Que Dieu préserve un artiste de partir en guerre contre la propriété privée par exemple ou contre le bénéfice sur le capital, ou contre les spéculations en bourse, etc. Une œuvre de ce genre ne verrait pas le jour et l'auteur en serait châtié pour calomnie et diffamation. C'est pourquoi, même si les auteurs « absurdistes » condamnent subjectivement la société bourgeoise moderne, même s'ils se révoltent de façon anarchique contre certains de ses aspects, ils n'appellent jamais à une transformation fondamentale de cette société et servent objectivement l'ordre bourgeois en s'efforçant d'inculquer à l'homme l'idée que cet ordre est inébranlable, et que l'homme n'a ni la force ni la possibilité de connaître le monde social, à plus forte raison de le transformer.

On ne trouve pas, dans les pièces de Ionesco, de critique de l'ordre social. Il critique seulement des aspects secondaires ou annexes de la réalité. De plus, en les faisant passer pour essentiels dans l'existence humaine en général, il laisse par là même dans l'ombre les grands travers fondamentaux du système capitaliste.

Tout en critiquant des défauts particuliers du système social bourgeois, Ionesco n'appelle pourtant jamais à le transformer. Au contraire, l'auteur considère qu'il est impossible de transformer le monde « incompréhensible et inexplicable », l'ordre existant est établi une fois pour toutes. « Le monde est justement fait ainsi, écrit-il, un désert ou des ombres mourantes. Les révolutions peuvent-elles y changer quelque chose [1] ? » Bien plus, dans ses dernières grandes pièces, Ionesco insiste particulièrement sur l'idée que la moindre tentative de changement ne fait qu'accentuer l'absurdité du monde et rend l'existence humaine encore plus insupportable. Le moindre effort de l'homme pour enfreindre l'ordre de choses existant, ou pour rendre la vie plus raisonnable et plus heureuse, mène à sa perte, comme c'est le cas pour le héros de la pièce *Tueur sans gages*.

Ionesco déclare que lui-même n'a l'intention ni d'expliquer ni de changer le monde. Il ne prend sur lui que le rôle de témoin de ce qui se passe sous ses yeux. Mais, en fait, il s'éloigne de la réalité et s'efforce d'entraîner à sa suite ses lecteurs et ses spectateurs. Comme le dit Kenneth Tynan, Ionesco veut faire de l'art quelque chose d'absolument autonome « qui n'a et ne doit avoir aucune sorte de correspondance avec quoi que ce

1. *Cahiers Renaud-Barrault,* n° 29, p. 3.

soit en dehors de l'esprit du créateur [2] ». C'est en cela que le dramaturge voit la liberté de création, liberté vis-à-vis de toutes obligations devant l'humanité.

Ionesco souligne très souvent sa « liberté » et son « indépendance » devant la vie sociale. Il voit une faiblesse dans les œuvres de ses contemporains et collègues — Brecht, Sartre, Miller et d'autres — parce qu'ils sont liés avec les idées politiques de notre époque. Le théâtre de Brecht, Miller, Sartre (Ionesco l'appelle idéologique) didactique, élémentaire, ne fait qu'illustrer des idées toutes faites, « indiquées » de l'extérieur. « Ce théâtre est prisonnier d'une idéologie, il est l'instrument d'un parti politique, écrit-il. Il n'exprime rien d'autre que cette idéologie et comme il ne fait que la redire, il est une démonstration inutile, l'expression même du conformisme [3] ». Dans l'ardeur de sa polémique, Ionesco accuse *tout* théâtre à contenu idéologique de tous les péchés capitaux : absence d'humour (car l'humour, c'est la liberté), peur devant la liberté de pensée; d'après lui, « l'optimisme et l'espoir y sont obligatoires sous peine de mort [4] ». Ionesco cherche par tous les moyens à discréditer le théâtre réaliste à contenu idéologique, à prouver l'inconsistance d'un art qui chercherait à expliciter le contenu historique et social de notre époque. [...]

Quant aux dramaturges du théâtre absurde, ils cherchent à tout prix à faire croire à l'impossibilité de comprendre notre monde soi-disant absurde et chaotique, dans lequel l'homme est condamné à une existence solitaire qui n'a aucun sens. Le critique communiste américain Jim Victor, en donnant une description de l'œuvre des « absurdistes », remarque avec justesse que leurs pièces reposent sur le « mépris de l'homme », qu'ils ont « perdu l'espoir dans la capacité de l'homme à résoudre les problèmes sociaux du monde ». C'est pourquoi, écrit Jim Victor, « même si les dramaturges du théâtre absurde touchent aux problèmes sociaux importants, ils ne cherchent pas à les résoudre, au contraire : ils prédisent avec joie l'échec de la moindre tentative

---

2. *Notes et Contre-notes,* p. 76.
3. *Entretiens d'Helsinki,* p. 17.
4. *Ibid.,* p. 29.

pour le faire [5] ». Ils ont « perdu la foi dans la société, poursuit le critique, la foi dans l'homme, dans la possibilité pour les hommes de communiquer entre eux. Ils créent l'image d'un homme faible, terrassé par une existence idiote. C'est ainsi que sont apparues les " pièces du désespoir [6] ".

Comme s'il continuait la pensée de Jim Victor, le critique bulgare Athanase Natev écrit : « Un écrivain s'est-il jamais senti plongé dans une obscurité aussi profonde que les auteurs " d'avant-garde " d'aujourd'hui. Ils se révoltent contre la société qui aliène l'homme, non pour indiquer une issue, mais parce que l'obscurité les aveugle et ils ne savent où aller [7]. »

Arthur Miller n'est pas moins dur envers la pratique des « absurdistes » puisqu'il considère que leur art dramatique est en contradiction profonde non seulement avec la fonction de l'art en général, mais avec la vie tout entière. « Les drames qui renoncent à toute action conséquente, écrit-il dans sa Lettre aux gens de théâtre et aux spectateurs, à l'occasion de la Journée internationale du Théâtre, reflètent bien une impasse de dimensions internationales, incarnent le manque de foi qui s'est répandu en la capacité de l'homme à agir sur les circonstances ; ils rejettent toute signification et se limitent à la seule ironie. Ce genre de drames voit l'homme au bord de la tombe, voué à la mort et affirme le caractère inévitable de son autodestruction... Les pièces absurdes conviennent très bien à des représentations qui auraient lieu à la veille de la fin du monde. Et encore mieux le lendemain [8]. »

[...] « D'une part, les absurdistes reflètent le désespoir de la bourgeoisie en ces derniers jours de l'impérialisme, mais d'autre part ils sont les créateurs d'un culte du ne-rien-faire. Ils justifient le comportement de ceux qui abandonnent la lutte, se moquent des mouvements organisés, refusent de répondre aux appels les plus clairs,

---

5. « The Theatre of the Absurd », dans *Political affairs,* janvier 1964, p. 51.
6. *Ibid.,* p. 52.
7. Athanase Natev, *Œuvres dramatiques occidentales contemporaines,* p. 16.
8. *Littérature étrangère,* 1963, n° 7.

sous prétexte que personne ne connaît la vérité », écrit Jim Victor. Cette description tout entière est aussi appliquable à Ionesco.

Qui tire profit d'un art de ce genre, sinon la bourgeoisie contre laquelle il est prétendument dirigé. Car c'est elle, au premier chef, qui a intérêt à ce que le peuple désarme. De plus, il est indispensable de préciser qui Ionesco vise lorsqu'il déclare lutter contre les bourgeois.

Répondant à un critique qui trouvait que, dans ses premières pièces, Ionesco critiquait la petite-bourgeoisie, le dramaturge déclarait : « En effet, il est possible que dans mes pièces il s'agissait de critiquer la petite-bourgeoisie, mais la petite-bourgeoisie que j'ai en vue ne représente pas une classe de telle ou telle société donnée, car pour moi le petit-bourgeois est un homme que l'on peut rencontrer dans toutes les sociétés, qu'on les appelle réactionnaires ou révolutionnaires. Le petit-bourgeois, pour moi, c'est un homme de slogans, un homme qui ne pense pas de lui-même, mais qui répète des vérités toutes faites et mortes parce qu'elles lui sont imposées par d'autres. Bref, un petit-bourgeois est un homme dirigé [9]. » Ailleurs, il écrit tout aussi clairement : « Pour moi, un bourgeois c'est un conformiste, un homme d'idées toutes faites, qui n'a sur les problèmes fondamentaux que des idées reçues [10]. »

Par conséquent, d'après Ionesco, la notion de bourgeois n'est pas une notion de classe. « Souvent les pires bourgeois sont les bourgeois anti-bourgeois », dit-il. D'après lui, le bourgeois, c'est « la majorité qui pense de façon sclérosée » et qui représente « les conformistes », peu importe où se trouvent les conformistes, « en haut, en bas, à droite ou à gauche [11] ».

De sorte que l'on trouve facilement la solution de l'énigme selon laquelle Ionesco — le théoricien de la bourgeoisie — est en même temps, dit-on, le critique de la bourgeoisie. Les citations ci-dessus montrent bien qui il vise lorsqu'il parle de « bourgeois ». D'après lui, le bourgeois est incarné par le commun des mortels, le petit monsieur en général.

---

9. *Notes et Contre-notes,* p. 49.
10. *Entretiens d'Helsinki,* p. 50.
11. *Notes et Contre-notes,* p. 63.

Mais le vrai paradoxe est ailleurs : il est dans la manière dont le spectateur reçoit les pièces de Ionesco. Bien que le dramaturge souligne constamment et avec insistance le fait qu'il ne souhaite ni enseigner ni prêcher une doctrine, bien qu'il affirme être tout à fait apolitique, il est néanmoins extrêmement tendancieux dans les idées et les principes qu'il défend. Ionesco déclare sans cesse que la société hideuse qu'il représente est la société en général, qu'il peint l'homme en général. Il s'efforce toujours d'identifier le monde bourgeois qu'il décrit avec le monde réel, essaie de souligner la généralité et l'universalité des vices et des contradictions qui sont soi-disant inhérents à l'essence même du monde. Et pourtant, il a beau chercher à prouver qu'il représente la société en général, ses pièces contiennent en fait une satire de la société moderne bourgeoise.

Les spectateurs aussi peuvent, s'ils le désirent, voir dans ses pièces une satire contre des faits isolés du monde bourgeois actuel. Mais, en même temps, nous avons à peine le temps de sentir ou d'apprécier la résonance satirique des drames de Ionesco, qu'aussitôt il intervient avec tout le processus de ses considérations et la logique du développement de l'action. Néanmoins, dans la mesure où la société bourgeoise moderne est objectivement dépeinte dans une quantité de tableaux grotesques, cela permet de représenter ses pièces de manière à en souligner les éléments critiques et à les diriger contre les incarnations réelles du mal social.

C'est précisément de cette façon-là que l'on met en scène les pièces de Ionesco dans les pays socialistes européens et c'est ainsi que les comprennent les spectateurs de ces pays. Entrant en contradiction avec les intentions de l'auteur lui-même, les metteurs en scène et les acteurs construisent un tableau grotesque non pas du monde tout entier, ni une satire de l'univers, mais une critique du monde bourgeois moderne avec ses lois inhumaines et ses normes éthiques anti-humanitaires. Écartant la position intentionnellement équivoque de l'auteur, et sans prendre en considération ses déclarations fracassantes, ils retournent en quelque sorte Ionesco contre lui-même. Ils se servent du contenu objectivement satirique de ses pièces pour illustrer leur propre idéologie contestée par le dramaturge. Ainsi le théâtre socialiste s'efforce d'orienter Ionesco contre Ionesco.

Mais Ionesco, lui, continue avec l'obstination d'un maniaque à prêcher sa complète indépendance à l'égard de « toute idéologie », son « absolue liberté », en fait liberté de toute obligation devant la société et devant son propre peuple. Il n'est pas élevé, le prix de cette liberté-là et l'indépendance de l'artiste qu'il proclame n'est en réalité qu'une illusion. La révolte de Ionesco trahit sa position d'individualiste bourgeois typique, de représentant de cet anarchisme « qui repose comme l'ont déjà expliqué maintes fois les marxistes sur une vision bourgeoise du monde [12] ».

De plus, pour la bourgeoisie, la « révolte » de Ionesco n'est pas dangereuse, et c'est bien pour cela que la bourgeoisie traite son œuvre avec tant de faveur. « La bourgeoisie ne menace pas ce genre d' " avant-gardisme ", écrit Guy Leclerc, bien au contraire ; elle en a besoin pour " mettre en évidence " et maintenir sous son contrôle l'esprit frondeur, l'excitation et les excentricités de sa jeunesse. Ce genre d' " avant-gardisme " n'est menacé que par une seule force : la conscience politique [13]. » En effet, les créateurs les plus conscients politiquement, les plus progressistes et les plus sensibles devant les processus de la vie s'orientent vers l'art réaliste, comme c'est le cas, nous l'avons vu, pour Arthur Adamov.

Tandis que les écrivains réalistes s'efforcent de refléter la vie sous toutes ses facettes et avec toutes ses contradictions et avec le plus possible de vérité, Ionesco se crée des mythes et peint le monde tel qu'il lui apparaît en imagination. Les écrivains réalistes s'efforcent de mettre en évidence les principales tendances du développement historique, Ionesco, lui, n'accepte même pas la possibilité d'un développement quelconque et nie le chemin progressiste de l'histoire. Les écrivains réalistes cherchent à montrer, à travers le destin d'un être humain particulier, les conflits sociaux caractéristiques de notre époque, et veulent aider les hommes à se connaître eux-mêmes et à connaître le monde qui les entoure, alors

---

12. V. I. Lénine, *Œuvres complètes,* t. 17, p. 424.

13. Cité d'après l'article de Guy Leclerc « Les destinées du théâtre d'avant-garde en France ». *Théâtre,* 1959, nº 9.

que le sujet de l'art pour Ionesco n'est même plus l'homme dans ses rapports avec les autres. Il renonce à toute analyse sociale de la société moderne et nie la connaissance comme fonction essentielle de l'art. Il va de soi que ce que l'art réaliste considère comme sa fonction fondamentale, c'est-à-dire la lutte pour des idéaux socio-humanitaires et pour une transformation progressiste de la société, tout cela lui est totalement étranger.

Le nihilisme, le scepticisme, le vide total, la perte de tout idéal social et du sens de la vie humaine en général, l'idée que toute lutte est vaine, la capitulation devant les forces réactionnaires — voilà les traits caractéristiques de l'œuvre de Ionesco; ils expriment en même temps la crise de plus en plus grande de la conscience bourgeoise. Ces traits issus de la vision du monde et des conceptions philosophiques du dramaturge annulent toute sa protestation contre la cruauté du monde bourgeois moderne lui retirent tout fondement et la rendent inutile. Dans la répartition actuelle des forces littéraires, l'œuvre dramatique de Ionesco occupe ainsi une position très réactionnaire et aide objectivement la bourgeoisie à désarmer idéologiquement ceux qui luttent pour une réorganisation socialiste de la société.

Comment expliquer alors la « mode », la faveur, dont jouit Ionesco? Le spécialiste bulgare de littérature théâtrale, Athanase Natev, pense que Ionesco a acquis sa renommée non pas pour ses conceptions philosophiques (elles sont vieillies), ni pour ses qualités techniques (elles ne sont pas grandes), ni pour ses pensées profondes et percutantes (elles n'existent pas), mais pour « son ingéniosité d'initiateur » et grâce à la publicité. Il faut préciser en outre que Ionesco, tout comme les autres « absurdistes » jouit de sa réputation dans un cercle très restreint de spectateurs.

Il jouit des faveurs particulières de l'intelligentsia petite-bourgeoise qui est attirée, dans le théâtre de Ionesco, par son refus anarchiste de la réalité, son esprit frondeur qui n'est qu'apparent, par sa prétendue liberté de création. Il trouve aussi un écho dans les opinions d'une grande fraction de cette intelligentsia parce qu'il reflète bien le désarroi, la confusion et le désespoir qui lui sont propres. Ce public bourgeois, tout comme le théoricien du « théâtre absurde » considère que la vie ne peut être expliquée rationnellement, que des forces incompréhensibles y règnent, écrasant et accablant l'homme. Les secousses sociales profondes qu'a connues le monde et la croissance de la crise idéologique et morale dans la société bourgeoise moderne sont comprises par les intellectuels bourgeois comme un fruit du chaos inconnaissable et indestructible qui constitue, d'après eux, le fondement de l'existence humaine.

Les couches sociales progressistes et les intellectuels démocrates n'acceptent pas le théâtre de Ionesco. Quant aux grandes masses populaires, elles ne le connaissent tout simplement pas. Il convient de remarquer que le théâtre de Ionesco exige des spectateurs une préparation particulière pour comprendre son langage spécifique et son système de métaphores complexe. C'est pourquoi ses pièces ne sont accessibles qu'à un cercle très restreint de ceux que l'on appelle les « professionnels » et à une partie seulement de l'intelligentsia bourgeoise. Le problème de voir ses pièces approuvées par un vaste public préoccupe assez peu Ionesco. Tel un vrai snob, il considère le grand public avec un souverain mépris. « Si mes pièces sont appréciées par une minorité, déclare-t-il, c'est qu'elles sont bonnes, car la vérité appartient à la minorité. Ceux qui attendent la reconnaissance de la majorité sont des conformistes dogmatiques [14]. »

Négligeant le grand public démocratique qui commence déjà à avoir une certaine influence sur la vie théâtrale du pays (et chaque année cette influence ne fera indiscutablement que croître) Ionesco enlève à son art ses sources vives et le condamne à la pauvreté idéologique et au piétinement sur place. Ionesco ne prend en considération ni les intérêts de ce public, ni la réalité vivante et riche, ni le mouvement de progression historique. C'est ainsi qu'il sort perdant de la lutte pour la culture réaliste progressiste.

---

14. *Entretiens d'Helsinki,* p. 55.

Hélène Vianu

Préludes ionesciens

Lorsqu'en 1930, Eugène Ionesco, qui n'était à l'époque que Eugen Ionescou, fit ses débuts dans les pages de la revue *Zodiac*, il y eut peu d'esprits perspicaces à accorder quelque attention à ce nom banal. Mais — il faut le dire — l'anonymat de Ionescou ne fut pas longtemps gardé. À partir de 1931, déjà, le jeune homme avait commencé une carrière aussi brillante que bruyante. [...]

Malgré son agressivité, Eugen Ionescou n'est pas seulement un destructeur. Nous le voyons — à notre grand étonnement, il est vrai — admettre deux vérités « absolues » en matière d'esthétique. Les voici : « Les grandes œuvres, dit-il, naissent d'émotions simples, élémentaires, presque biologiques. C'est là une des rares vérités absolues qui se peuvent affirmer en matière d'art [1]. » Une autre, que nous ne ferons que résumer, car c'est une idée qui revient dans les textes de Ionescou, c'est qu'il existe une hiérarchie des genres et qu'au faîte de cette pyramide se trouve, triomphante et dominatrice, la poésie [2].

Or, si la poésie régit tous les autres genres, romans et théâtre ne sauraient exprimer la vie que dans la mesure où ils sont poétiques. Mais cette qualité poétique est strictement rattachée à la quantité de quotidien qu'ils renferment car c'est au beau milieu du quotidien que se cache — miraculeux et magique — l'absurde. « La pré-

Hélène Vianu, *Préludes ionesciens*, dans *Revue des Sciences humaines*, janvier-mars 1965.

1. *România literara*, le 2 avril 1932.
2. V. p. ex. *România literara*, le 7 janvier 1933.

sence littéraire d'un événement — écrit, en 1933, Eugen Ionescou — ne peut être justifiée que par les éléments d'absurde qui l'étaient dans la réalité ou — si vous voulez — qui le minent. La beauté ne saurait être réalisée que par une atmosphère enchantée, par l'invraisemblance, par une impression de choses anciennes vues pour la première fois, par le sentiment de la fatalité et de l'irréparable, du magique et du merveilleux : merveille de la joie, merveille de la torture [3]. »

L'œuvre littéraire — le chef-d'œuvre, car c'est le chef-d'œuvre que suppose et vise ce faux sceptique qu'est Eugen Ionescou — voit le jour et se développe dans le climat des orages intérieurs. La poésie est — selon le jeune Ionescou — le résultat de la tension et du déséquilibre intimes. « La joie et la souffrance, dit-il, ne sont pas des états d'équilibre; ce ne sont même pas des états — dans le sens étymologique du mot — mais tension et démarche. Elles témoignent d'un déséquilibre et sont, par conséquent, de par leur nature, bouleversement des acceptions, de ce qui est équilibre, principe d'identité, distinctions et autres scrupules. Elles sont le symptôme d'un désordre, elles sont désordre; en ce sens, qu'elles ne sont pas fausses, justement parce que leur contenu notionnel est incertain et paradoxal, car n'est faux et arbitraire que ce qui est ordre [4]. »

Cet éloge du déséquilibre et du désordre ne peut être considéré dans un juste éclairage qu'en le rapportant aux circonstances des années 1932, lorsqu'il a été fait, et en le complétant par une profession de foi qui explique quelles en sont les racines. L'idée d'ordre était — comme bien l'on sait — abusivement utilisée par la montée fasciste qui cachait sous cette honorable enseigne ses abus et sa tyrannie. Le désordre que Ionescou proclame comme fécond est donc tout d'abord opposition à cet ordre figé sous lequel grouille déjà le massacre. Aussi la profession de foi satanique que l'on va lire éclaire parfaitement cette résistance à l'autorité — qui n'est que résistance au despotisme. « Dieu, dit Ionescou, et tous ses anges possibles ou impossibles ont l'indiscutable avantage de se trouver au pouvoir. Le diable,

3. *Nu,* p. 182.
4. *Nu,* p. 269-270.

lui, est l'éternel opposant. Et c'est pourquoi il est pourchassé et arrêté par la milice des archanges... Je n'estime une œuvre d'art que par la quantité de satanique qu'elle contient [5]. »

Se frayant un chemin à travers le quotidien jusqu'à l'absurde, préférant le déséquilibre à un ordre figé, tendue comme la corde d'un arc, riche de toute sa cargaison de magique et de contradictoire, l'œuvre d'art, pour ne pas tomber dans l'extravagance, se voit obligée à une simplicité relevée uniquement par les beautés du rythme. Durant ces années d'apprentissage que nous évoquons. Eugen Ionescou est très préoccupé par les problèmes du rythme. Rythme de la phrase, rythme de la composition. « Un vers est beau, dit Ionescou, quand l'idée, le sentiment, et l'image deviennent respiration [6] », et il donne l'exemple de Verlaine qui chante comme il respire. Parlant du rythme d'un roman de Rebreanu, — *Rascoala* (La Révolte) — Eugen Ionescou note ainsi les temps forts et les temps faibles du récit : « Je vous parlerai, dit-il, de l'accélération, en progression géométrique, de l'action, du silence de mort qui succède au cataclysme, de la réorganisation lente de la vie normale et indifférente. Je devrais encore vous parler des grandes lignes, des grands mouvements, des grandes forces contenus dans ce livre qui nous laisse une impression de tempête, de fracas énorme, suivis par un silence de mort [7]. »

Fracas et silence ne sont que deux parmi les termes contradictoires que Ionescou rapproche dans ce texte. Ailleurs, il ne fait qu'illustrer ce que le titre de l'un de ses essais indique : l'identité des contraires. C'est le cas, par exemple, de la tragédie et de la comédie [8]. Mais, pour Ionescou, l'identification des contraires ne s'obtient pas en atténuant les termes en présence, mais bien plutôt en les poussant à leurs dernières extrémités. « Tant que mes tristesses, dit Eugen Ionescou, ne se changent pas en ferveurs et mes joies en souffrances, je me sens médiocre et insipide, je me déconsidère. Cela

---

5. *Românie literara,* le 16 juillet 1932.
6. *Universul literar,* 4 mars 1939.
7. *Nu,* p. 151.
8. Voir *Nu,* Les contraires se rencontrent (tragédie-comédie).

veut dire que je n'ai pas été capable d'aller jusqu'au bout des choses — qui est à l'envers : car il me faut aller si loin vers le nord que j'en arrive à toucher le sud [9]. »

« Quand, dans vingt-huit ans et deux mois, je recommencerai à faire de la critique, le sentiment du ridicule qui m'inspire et m'inspirera m'empêchera d'accomplir de tels actes humoristiques (ce ne serait encore rien) et (c'est plus grave) contraires à l'hygiène littéraire et critique [10]. » Vingt-huit ans et deux mois! Février 1934 - avril 1962, date de la parution du premier volume critique d'Eugène Ionesco, *Notes et Contre-notes*. Entre-temps, trois volumes de *Théâtre* et un recueil de nouvelles — *La Photo du Colonel* — confirmaient un succès que la scène avait déjà assuré. Après avoir exposé les idées esthétiques du « jeune homme furieux » des années 1930-1940, il nous faudrait maintenant confronter les attitudes de Ionesco avec celles de Ionescou et voir si, dans ce dialogue — tout ionescien — il y a accord ou divergence.

« J'ai changé en demeurant moi-même », dit Ionesco à Pierre Hahn [11]. Rien de plus vrai. Car, point par point, Ionesco réalise les vœux de Ionescou. Ainsi, le théâtre de Ionesco est incontestablement un théâtre du quotidien où les moments inessentiels s'enchaînent et déterminent — par un brusque bond — l'événement capital. Celui-ci glisse son extravagance absurde dans la banalité de l'existence et Ionesco regarde complaisamment ses personnages boire leur café en sachant qu'à un moment donné dans ce temps mécanique la durée créatrice provoquera le cataclysme. Car le rythme des « farces » de Ionesco est celui que précisément il prêtait jadis au roman de Rebreanu : accélération, tempête, catastrophe, silence mortuaire. Quant à l'anti-théâtre que Ionesco prône, qu'est-il autre chose que l'horreur du théâtre théâtral dont faisait profession le jeune homme d'antan? L'anti-théâtre est aussi le théâtre régi par la poésie, dominatrice suprême de tous les genres littéraires. Il

---

9. *Nu*, p. 268-269.
10. *Azi*, février-avril 1934.
11. Voir *Paris-Théâtre*, nº 200.

serait également facile de choisir parmi les déclarations actuelles de Ionesco celles où il défend l'usage qu'il fait de ces contraires que sont la tragédie et la comédie. « Tragique et farce — dit-il dans *Notes et Contre-notes* — prosaïsme et poétique, réalisme et fantastique, quotidien et insolite, voilà peut-être les principes contradictoires (il n'y a de théâtre que s'il y a des antagonismes) qui constituent les bases d'une construction théâtrale possible[12] ».

Le problème du langage usé ou hâtif est aussi bien le problème du jeune homme que celui de l'écrivain mûr et l'on connaît la guerre que Ionesco a déclarée aux lieux communs, cueillis par lui dans la méthode *Assimil.* Mais ce qui est plus étrange, c'est que l'écrivain d'aujourd'hui a conservé les attitudes et les mythes de l'adolescent d'autrefois, s'il a fort heureusement gardé son horreur du « vital, biologique, instinctif et spécifique », — n'est-ce pas sur cette trame qu'il a brodé son *Rhinocéros* — il a tout aussi pieusement conservé son horizon intime dont les pages de son Journal qui parsèment ses textes font foi. Et cet horizon intime, aujourd'hui comme jadis, est dominé par la présence insoutenable de la mort. « J'ai peur, écrivait Ionescou. Un jour j'ai eu la sensation imminente de la mort : il y a eu en moi une débandade, une panique, le cri de toutes mes fibres, un refus terrifié de tout mon être. Rien en moi ne veut accepter la mort[13]. » « J'ai peur de la mort, enchaîne Ionesco. J'ai peur de mourir, sans doute parce que, sans le savoir, je désire mourir. J'ai peur donc du désir que j'ai de mourir[14]. » De l'un à l'autre de ces textes, il y a un décalage — celui des presque trente ans qui les séparent. Les deux aboutissent à ce texte pascalien qu'est *Le Roi se meurt.*

---

12. *Notes et Contre-notes,* Gallimard, 1962, p. 15.
13. *Nu,* p. 91.
14. *Arts,* 1960.

Dominique Nores

[*Itinéraire*]

Depuis la première ligne écrite, Ionesco raconte Ionesco. Il le fait, par les voies d'une œuvre dramatique qui parut longtemps bannir toute idée de sérieux, avec un sérieux imperturbable.

Nul ne s'en est d'abord rendu compte. La voix de Ionesco ne parvenait qu'à travers celle d'acteurs très jeunes, au lendemain de la Libération, et qui apportaient une adhésion d'autant plus convaincue à l'œuvre qu'ils trouvaient dans le saugrenu de ses manifestations l'occasion d'exprimer en geste leur propre révolte. Ce geste, ils le voulaient provocant. Tous avaient besoin de s'écrier une bonne fois : j'exècre les pommes de terre au lard. La libération de Jacques, fût-elle la libération d'un instant entre les aliénations forcées de l'enfance et celles, consenties, de la vie d'homme, était leur libération. [...]

Un *si* de plus (« ne sois pas *si* assassin ») rendait grotesques les préceptes de la morale. Ionesco n'avait plus qu'à se laisser porter par sa cocasserie verbale. Avec elle, c'était tout l'appareil social qu'il suspendait brusquement à des valeurs incertaines. Ce n'était pas seulement la tradition familiale fondée sur l'autorité du père (« Je demande un lavement total de notre honneur ») qui prêtait à rire, mais les deux institutions tabous sur lesquelles elle n'a cessé de s'appuyer : le mariage-marché et l'héritage. Aucune sclérose ne résistait à l'introduction de situations résolument bouffonnes dans les formes de vie les plus banales. Les forces de l'ordre représentées par le pompier fantaisiste de *La Cantatrice chauve,* prévoyant à l'avance ses feux de paille, et le policier-bourreau de *Victimes du devoir,* l'étaient de façon si anarchique qu'elles devenaient forces du désordre. Toutes les conventions étaient brouillées. Le théâtre de Ionesco se

Dominique Nores, *Itinéraire de Ionesco,* dans *Les Lettres nouvelles,* n° 39, octobre 1963, © éd. Les Lettres nouvelles, Paris.

présentait comme un théâtre de la table rase. Qu'allait-on bien pouvoir construire là-dessus?

Contrairement à ce qu'on avait cru d'abord, la dérision n'était pas une fin en soi. Tous ces gestes baroques tenaient leur impulsion d'une angoisse profonde. Qui alors s'en est rendu compte? Les spectateurs riaient. Ionesco, avec sa première pièce, *La Cantatrice chauve,* croyait écrire une tragédie du langage, et ce qui apparaissait c'était sa fantaisie inimitable, son sérieux dans l'abracadabrant, sa façon de proposer une sorte de mouvement dramatique sans commencement ni fin, les personnages qui l'animaient étant interchangeables.

Certains spectateurs avaient tout de même senti sourdre en eux un malaise. Ce malaise, Ionesco a choisi qu'il grandisse. Depuis *Jacques,* sa troisième pièce, il a fait naître le rire des spectateurs de situations dramatiquement insoutenables. Il suffisait de renverser certains termes pour que les rapports entre les personnages devinssent étrangement lourds. Jacques, présenté à l' « élue malgré lui de son cœur », était pris au piège. Ce moment du théâtre de Ionesco m'a toujours rappelé le monde des insectes. Trintignant, quand il a interprété Jacques, cinq ans après l'écriture de la pièce, avait réellement un aspect larvaire. Au milieu de l'immense toile d'araignée prête à se refermer sur lui, dans son petit complet noir trop serré, il apparaissait sans carapace, un peu mou et rose, désarmé. Désarmés aussi les blêmes comme Chauffard ou, comme Serreau et Paul Chevalier, les filiformes. Ils avaient en commun leur façon de vivre à tâtons dans un monde étranger. Un étonnement à la rencontre des choses, un contentement tout petit, tout modeste de seulement subsister (« Ton optimisme de façade encore et toujours », disait Madeleine à Amédée) leur donnaient ce comportement étriqué et courtois qui les faisait, dans un même mouvement, se cramponner à ce qui est et retenir leur souffle, crainte de déranger. Autour d'eux se développaient les grandes formes dévorantes, celle d'Yvonne Clech qui glissait une suavité étrangement pénétrante dans l'acharnement acide — et qu'elle jouait volontairement mécanique — de sa revendication, et celle de Tsilla Chelton, armée de moulinets immenses de ses immenses bras et d'un regard à très faible champ d'action, toujours excessive, terrible, tâtillonne, et qui poursuivait avec brio auprès du fils ou de l'époux son travail de destruction aveugle. Ronde terrible. Le monde se taisait, un monde vivant. Les voisins-espions guettant ou ne guettant pas, sachant ou ne sachant pas, imposaient jusqu'à travers les murs leur loi du plus grand nombre qui refusait à l'homme désarmé tout droit à une existence particulière.

L'univers de Ionesco était donc dès l'origine un univers angoissé. Les thèmes dramatiques qu'il développe aujourd'hui, celui de l'évasion solitaire et de l'abandon dans *Le Piéton de l'air,* celui de la mort dans *Le Roi se meurt,* sont ceux des années 53-54. Si le nouveau locataire mourait assiégé par ses meubles, et si Choubert et Amédée avaient découvert déjà, chacun à leur façon, les lois de l'envol, depuis *Tueur sans gages* les intentions et les formes ont changé.

Le théâtre dit d'avant-garde cherche à sortir de l'impasse où il s'est enfermé. Pour s'être voulu totalement destructeur, il s'est interdit toute possibilité de renouvellement. Dès *Paolo Paoli,* Adamov s'évade et va chercher dans l'Histoire des situations exemplaires de l'oppression de l'homme par l'homme. Le Trapp de Beckett inscrit son passé sur les bobines d'un magnétophone et tente ainsi, vainement, de le conserver. Ionesco, au milieu des débris que sept ans de théâtre acharné ont accumulés autour de lui, sent monter en lui une nouvelle angoisse. Des forces positives se lèvent l'une après l'autre du saccage. Avec *Tueur,* pour la première fois, Ionesco prend la parole, non plus par jeu ou pour présenter son propre plaidoyer, mais pour dire qu'il y a des valeurs qui méritent qu'on les défende, qu'il y a la vie et le droit à la vie, et le droit pour chacun de vivre son existence selon ses données personnelles. À la protestation générale de *Tueur, Rhinocéros* ajoute la revendication de l'individuel.

Une intention différente devait amener une forme dramatique renouvelée. À partir de *Tueur,* les pièces de Ionesco s'allongent. Visant la démonstration, elles en suivent les péripéties. L'action dramatique cohérente, contre laquelle s'insurgeait *La Cantatrice chauve,* introduit avec elle le personnage positif, celui à qui quelque chose arrive et qui tire de sa conduite devenue exemplaire des vérités valables pour tous. Comme Bip de Marceau,

Bérenger est sorti de Ionesco une fleur au chapeau. Tragique et comique tout à la fois, ce personnage se trouve en porte-à-faux dans un monde inacceptable; son élan vers la vie le force tout de même à l'accepter. Premières proliférations à forme humaine, Choubert, Jacques ou Amédée avaient vécu dans une obscurité de cave. Ce qu'ils lançaient à la rencontre du monde, c'était moins un regard véritable que des sortes d'antennes tout juste capables de les avertir du danger. Sitôt à l'air libre, tout change. Bérenger apprend sa propre allégresse à chaque pas qu'une heureuse santé lui permet de faire, à chaque bouffée d'air dans ses poumons. Devenu roi et près de mourir, il dit à la servante Juliette : « Deux fois par jour, le même chemin! Le ciel par-dessus! Tu peux le regarder deux fois par jour. Tu respires. Tu ne penses jamais que tu respires? Penses-y. Rappelle-toi. Je suis sûr que tu n'y fais même pas attention. C'est un miracle. »

Sitôt qu'on commence à s'émerveiller, tout est miracle. Les premières pièces de Ionesco n'avaient connu que l'amour-marché, l'amour-remords, l'amour-oppression. « Je veux notre joie, disait Choubert... Madeleine, crois-moi, ce n'est pas moi qui t'ai vieillie! Non, je ne veux pas, l'amour est toujours jeune, l'amour ne meurt jamais. » Avec la reine Marie, c'est ce jeune amour qui accompagne le roi Bérenger jusqu'au bord de la tombe. Le quotidien s'orne de chemises de nuit roses, de cravates choisies à deux.

Le bonheur pourrait donc exister comme une donnée de fait? Les pièces de Ionesco que Barrault a mises en scène proposent, au lever du rideau, la vision d'un monde en ordre. Les villes se reconstruisent, les petits cafés somnolent béatement sur les petites places des petites villes. Il fait bon marcher dans la campagne anglaise. Plus de difficultés matérielles. Vieux roi ou jeune poète, Bérenger gagne bien sa vie et si Joséphine, son épouse, s'interroge encore sur l'acquisition d'un sac à main, Madeleine Renaud n'hésite pas à l'habiller dans la Haute Couture. Désormais l'humanité tassée au ras du sol recule : Juliette tient encore le balai, mais dans le living-room-salle du trône, là où Bérenger tient le sceptre. Car Bérenger résume en lui la puissance entière de l'homme : « C'est lui qui avait inventé la poudre... Il a volé le feu aux Dieux... il a installé les premières forges... »

C'est à ce niveau, celui de la puissance, et non plus de l'impuissance, que Ionesco se heurte aux problèmes fondamentaux. À quoi bon la puissance royale, si elle ne permet plus, la mort venant, de posséder sa part de pot-au-feu? À ce niveau, celui des grandes vérités naïves, Ionesco, qui semblait se perdre dans les hasards de l'individuel, bondit de nouveau dans le général. Le nouveau locataire, vivant d'une vie rétrécie, mourait sans trop de peine entre ses meubles. Bérenger, parce qu'il a tout eu, doit tout quitter. L'amour heureux porte en lui un besoin lancinant de durer. Il fait de la mort, présente depuis toujours dans l'œuvre de Ionesco, mais qui venait de l'extérieur, une mort-échéance personnelle, celle qui « a toujours été là, dès le premier jour, dès le germe », et le chronomètre implacable, qui règle, pour l'homme, le temps limité du bonheur.

Si l'homme meurt, si l'homme s'évade, une nouvelle forme de solitude apparaît : l'abandon. Devenir seul, c'est perdre pied dans un monde redevenu menaçant. Dans *Le Piéton de l'air,* Bérenger, livide pour avoir aperçu le destin terrible de l'humanité, est moins profondément angoissé que n'est Joséphine perdue, sans parents, sans amis. « Il m'abandonne comme les autres... Il sait pourtant que j'ai peur... Comme je peux, dans l'angoisse, je me défends. »

Du grand tour d'horizon que Ionesco a tenté de faire, que reste-t-il? *Tueur* lui avait fait arpenter les rues d'une ville, *Rhinocéros* des idéologies; *Le Piéton* lui faisait aborder l'antimonde; Bérenger revient dans son palais pour y mourir. Certes, les murs de jadis ont éclaté. Au lieu de la salle basse, mais tiède, où l'on cultivait le champignon de chambre, s'ouvre à l'agonie royale une salle des pas perdus inchauffable. Ce roi qui meurt, ce roi qui a tout connu, tout essayé, a-t-il mieux usé de la vie qu'Amédée composant à longueur d'ans deux répliques? Ce n'est pas par hasard que seule parmi les dernières pièces de Ionesco, *Le Roi se meurt* est en un acte, et ce n'est pas par hasard qu'il a fait appel au vieux personnel de jadis.

Cet appel marque un retour et l'impossibilité du retour. Dans ce palais, même bon enfant et qu'une seule servante débarrasse de ses mégots et de ses toiles d'araignée, l'approche de la mort ne permet plus le comique verbal que s'il est essentiel. La première scène du *Roi se meurt* hésite, cherche le ton : la cocasserie de jadis, nourrie de formules inimitables et d'à-peu-près, ne répond plus à l'exigence qu'une urgence nouvelle des thèmes a fait naître; tout ce qui ne fait pas mouche détonne. L'interprétation perd sur certains points, à ressusciter les voix de jadis (Tsilla Chelton, dans un style qui n'est plus lapidaire mais écrit, et où sa voix s'embrouille, avalant les syllabes, ne retrouve pas l'aisance des grandes compositions de jadis), gagne sur d'autres. Mauclair, parce qu'il a une voix antinaturelle et qu'ainsi il joue continuellement, est ce roi qui, aux approches de la mort, ne parvient pas à se retrouver. Vainement, il oscille de la puérilité à l'enflure. Sa voix, celle des fonctions qu'il a successivement incarnées : potentat, chef d'armée, dilettante, n'est à aucun moment celle de l'homme qu'il avait peut-être voulu être. Si l'agonie de ce roi est terrible, c'est parce que des enveloppes meurent, des enveloppes au centre desquelles il n'y avait qu'une sorte de désir d'être, c'est-à-dire, la mort venue, exactement rien.

Cette découverte du rien, Ionesco a su lui donner l'intérêt d'une expérience de laboratoire proposée au regard du spectateur. Il s'est servi de deux moyens singulièrement efficaces; le temps dramatique et le personnage témoin.

Dès que le temps est compté, il se convulse. Il n'en dure pas moins juste ce qu'il doit durer, un nombre précis de secondes et de minutes. Ainsi le temps de la mort de Bérenger, parce que nous en savons d'avance la durée, — celle exactement de la représentation — devient un temps plein, fermé sur soi, un temps où rien ne peut arriver, sauf cette mort. L'agonie, devenue ainsi exactement mesurable, va faire reculer les moments qui restent, minute après minute, devant nous. Au dernier acte d'*Oncle Vania,* le metteur en scène suédois, Per-Axel Branner, avait mis une horloge sur la scène. Le bruit du balancier comptait un temps vide, un temps sans progrès appréciable, une sorte d'éternité. Ici, au contraire, les observations cliniques du médecin règlent un temps où tout est progrès, vieillissement des organes l'un après l'autre et envahissement méthodique, incessant, de la mort.

Cette agonie nous parvient à travers la conscience que

les autres en ont. Le médecin d'abord, qui se livre à un exposé de praticien, dont le seul pendant littéraire que je connaisse (froideur voulue, ici et là, faite de curiosité pour ce qui se passe et d'indifférence guindée, prétentieuse, de celui qui sait, pour la banalité du cas) est celui de *La Montagne magique* : « Il dormira beaucoup en dernier lieu, et même si, en tout dernier lieu, il ne devait justement pas dormir... »

Un autre personnage témoin se dessine, qui a été chercher dans les toutes premières œuvres de Ionesco sa naïveté : la servante Juliette. Parce qu'elle n'est pas tout à fait dans le coup, moins même que le Garde préposé au service du bulletin de santé officiel, elle a le droit de s'étonner. La stupeur du roi devant sa propre mort trouve un écho dans sa stupeur touchante : elle non plus, elle n'aurait jamais cru qu'un si grand roi, un être qui par l'ancienneté et la puissance porte l'humain à son plus haut point, doive mourir : « il ressemble à mon grand-père », commente-t-elle.

« J'ai beaucoup aimé les hommes, écrivait Bernanos, et je sens bien que cette terre des vivants m'était douce. » Ce roi qui meurt lui non plus ne veut pas de la mort des impassibles : « Si j'ai peur, je dirai : j'ai peur, sans honte. » Il éclaire un combat qui dès l'origine était combat avec la nuit.

Il est beau qu'une œuvre dramatique se développe ainsi, sans qu'on sache d'abord où elle mène, il est beau qu'elle se développe en se riant des formes que ses admirateurs voudraient lui imposer, qu'elle refuse de se laisser emprisonner, fût-ce par elle-même.

Jean-Hervé Donnard

[*La machine scénique*]

Ionesco, ce briseur d'idoles, est venu se placer dans le sillage des grands créateurs de personnages humains qui de Racine à Mauriac ont établi une solide tradition.

JEAN-HERVÉ DONNARD, *Ionesco dramaturge*, coll. « Situation » 8,

En dépit de cette concession, il demeure fidèle à sa dramaturgie personnelle, hardiment novatrice, bien qu'il ne se fasse pas scrupule d'utiliser, de temps à autre, une technique ancienne. Ainsi, l'acte Ier contient une véritable « exposition »; le retour à la comédie psychologique, il est vrai, a nécessité l'emploi de ce procédé classique. En revanche, on s'étonne que l'auteur d'*Amédée* contredise le théoricien de *Victimes du devoir*. Car *Amédée,* du moins au début, est une pièce « policière ». Ce « reniement » est d'autant plus curieux que la nouvelle initiale ne proposait pas d'énigme, les premières lignes d'« Oriflamme » faisant connaître avec une parfaite clarté la situation : *« Pourquoi, me dit Madeleine, n'as-tu pas déclaré son décès à temps? Ou alors te débarrasser du cadavre plus tôt, quand c'était plus facile! »* Au contraire, les premières répliques de la comédie amènent les spectateurs à se poser un certain nombre de problèmes. Au lever du rideau, après avoir cueilli un champignon, Amédée murmure entre ses dents : *« Ah, cette Madeleine, cette Madeleine, quand elle va dans la chambre, elle n'en sort plus! Elle l'a assez vu, pourtant, elle l'a assez vu. Nous l'avons assez vu, celui-là! Ah, la, la, la! »* Qui est donc cet hôte encombrant et fascinant? Le mystère s'épaissit, lorsque Amédée déclare, après avoir à son tour jeté un coup d'œil dans la chambre : *« On dirait qu'il a encore grandi, un peu. »* S'agirait-il donc d'une plante, d'un animal? De plus, il existerait une relation entre la prolifération extraordinaire des champignons et la présence de l'inconnu : *« Ça va devenir vraiment intolérable,* soupire Madeleine, *s'il en fait pousser dans* [*la salle à manger*]. *»* La vie continue, l'un essaie d'écrire, pendant que l'autre balaie. Cependant ces occupations ne parviennent pas à dissiper l'angoisse. De nouveau, Amédée est allé regarder la « chose »; il revient bouleversé et annonce ce qu'il a vu : un cadavre vieillissant et grandissant. Toutefois les spectateurs devront attendre l'acte II pour connaître l'identité (probable) du défunt, révélée beaucoup plus tôt dans la nouvelle.

Ce qui fait l'intérêt de ce premier acte, ce n'est pas en définitive le « suspense », obtenu grâce à des recettes qui ont fait leurs preuves; ce sont plutôt les effets de mise en scène originaux et les sketches insolites, éléments caractéristiques du théâtre d'avant-garde, savamment dosés pour accroître la tension d'une manière continue jusqu'au point de rupture. Durant la première partie de l'acte, on ne voit pas le cadavre. Lorsqu'il revient de la chambre, Amédée fait chaque fois un rapport plus pessimiste : « *Il a encore grandi. Il n'aura plus de place sur le divan. Ses pieds dépassent déjà* [...]. *Il a des ongles énormes.* [...] *Ses orteils ont défoncé ses souliers.* » Puis le cadavre se manifeste lui-même, par des craquements « *légers* » qui ne tardent guère à devenir « *énormes* », jusqu'à ce que retentisse « *un grand coup violent dans le mur* »; « *muets d'effroi* », Amédée et Madeleine, et avec eux les spectateurs, voient « *deux pieds énormes* » sortir lentement par la porte défoncée, « *s'avancer d'une quarantaine ou d'une cinquantaine de centimètres sur la scène* ». Comme une tragédie de Racine, la comédie de Ionesco commence au moment où la crise est imminente; mais alors que dans le théâtre classique le dialogue traduit le pathétique de façon abstraite, le dramaturge moderne a recours à des moyens scéniques de concrétisation. La « machine » remplace l'analyse des états d'âme.

Martin Esslin

[*Le mécanisme théâtral et le principe d'accélération*]

L'écriture de Ionesco doit beaucoup à l'intuition. Il a lui-même décrit sa méthode de travail d'une manière ironique et un peu forcée mais qui n'en est pas moins convaincante : « Il est évidemment difficile d'écrire une pièce de théâtre. Cela demande un effort physique considérable : il faut se lever, ce qui est pénible, il faut s'asseoir, juste au moment où l'on s'était accommodé à rester debout, il faut prendre un stylo, qui est très lourd, il faut enfin chercher du papier, qui ne se trouve guère, et il faut se mettre devant une table qui souvent s'écroule sous le poids de vos coudes... Il est relative-

Martin Esslin, *Le Théâtre de l'Absurde* (traduction de Marguerite Buchet, Francine Del Pierre, Fance Frank), © éd. Buchet/Chastel, Paris, 1963.

ment facile, par contre, de faire la pièce sans l'écrire. Il est facile de l'imaginer, de la rêver, étendu sur un divan entre le sommeil et l'état de veille. On n'a qu'à laisser aller, tout en ne bougeant pas, et ne pas se contrôler. Un personnage surgit, on ne sait d'où, qui en appelle d'autres. Le premier se met à parler, la première réplique est faite, le " la " est donné, les autres répliques s'enchaînent automatiquement. On reste passif, on écoute, on " regarde " ce qui se passe sur l'écran intérieur. »

Pour Ionesco, la spontanéité est un élément créateur important. « Je n'ai pas d'idées avant d'écrire une pièce. J'en ai une fois que j'ai écrit la pièce ou pendant que je n'en écris pas. Je crois que la création artistique est spontanée. Elle l'est pour moi. » Pour Ionesco, le travail de l'imagination spontanée est un moyen de connaissance, une exploration. « La fantaisie est révélatrice; tout ce qui est imaginaire est vrai; rien n'est vrai s'il n'est imaginaire. » Tout ce qui jaillit de l'imagination exprime une réalité psychologique : « ... Puisque l'artiste appréhende directement le réel, il est un véritable philosophe. Et c'est de l'ampleur, de la profondeur, de l'acuité de sa vision vraiment philosophique, de sa philosophie vivante que résulte sa grandeur. »

La spontanéité de l'imagination créatrice est en soi un instrument de découverte et d'exploration philosophique. Mais spontanéité ne signifie pas négligence; l'artiste vrai doit posséder une telle maîtrise de ses moyens techniques qu'il puisse les appliquer sans réflexion consciente tout comme un bon danseur, grâce à la maîtrise de sa technique, peut se consacrer uniquement à l'expression du personnage qu'il incarne. Ionesco est loin de négliger les aspects techniques de son métier. C'est un maître artisan et un classique. Il croit que

le but de l'avant-garde devrait être de redécouvrir, plutôt que d'inventer, les structures permanentes, les archétypes théâtraux. Par-delà les clichés et les formes sclérosées d'un traditionalisme desséché, nous devons rejoindre les sources authentiques de la tradition vivante et toujours jeune.

C'est pourquoi Ionesco cherche à dégager les éléments dramatiques « purs » et à dévoiler en le laissant nu le mécanisme de l'action à l'état pur, même dépourvue de sens. C'est pourquoi, bien qu'il n'aime pas Labiche, il est fasciné par Feydeau et fut étonné de trouver des similitudes entre ses propres pièces et celles de Feydeau.

Pas dans les thèmes, pas dans les sujets, mais dans le rythme. Dans l'ordonnance d'une pièce comme *La Puce à l'oreille* par exemple, il y a une sorte d'accélération de mouvement, une progression, une sorte de folie. On pourrait peut-être découvrir là l'essence du théâtre ou du moins l'essence du comique... Parce que si Feydeau plaît, ce n'est pas pour les idées qu'il a (puisqu'il n'en a pas), ni pour les histoires de ses personnages (qui sont sottes), c'est cette folie, c'est ce mécanisme apparemment réglé, mais qui se dérègle par sa progression et par son accélération mêmes.

Ionesco compare sa tentative pour redécouvrir « le mécanisme théâtral à l'état pur » et l'utilisation du principe d'accélération dans les comédies de Feydeau : « Dans *La Leçon,* par exemple, il n'y a pas une histoire, mais il y a tout de même une progression. J'essaie d'arriver à la réalisation d'une progression par une sorte de densification des états d'âme, d'un sentiment, d'une situation, d'une angoisse. Le texte n'est qu'un prétexte pour un jeu de comédiens, en partant du comique pour arriver à une exaltation progressive. Et le texte n'est qu'un appui, qu'un prétexte pour cette intensification. » De *La Cantatrice chauve* à *Rhinocéros,* cette densification et intensification de l'action détermine la forme des pièces de Ionesco en opposition à celles de Beckett et d'Adamov (jusqu'à sa rupture avec le Théâtre de l'Absurde); chez ces derniers, la forme est « circulaire », c'est un retour à la situation initiale ou à son équivalent, à un point zéro duquel l'action qui se déroule semble si futile qu'il n'y aurait pas de différence si rien ne se passait. Il est vrai que *La Cantatrice chauve* et que *La Leçon* se terminent comme elles ont commencé : les Smith reprennent le dialogue du début de la pièce; et une nouvelle élève arrive pour une nouvelle leçon. Mais dans le cas de *La Cantatrice chauve,* cette fin a été conçue après coup, à l'origine l'intention de Ionesco était de porter à son comble le pandémonium de la scène finale par une agression directe à l'égard du public. En ce qui concerne *La Leçon,* nous savons que la quarante et unième élève du jour sera assassinée avec la même frénésie que la quarantième — que la situation atteindra inévitablement à un nouveau paroxysme et encore plus violent. C'est là le dessin de la plupart des pièces de Ionesco ; nous trouvons la même accélération, la même accumulation dans la frénésie obscène de la dernière scène de *Jacques,* comme dans la prolifération des meubles dans *Le Nouveau Locataire,* des sièges dans *Les Chaises,* et dans la multiplication des métamorphoses dans *Rhinocéros.*

Intensification, accumulation et progression cependant ne doivent pas, Ionesco insiste sur ce point, être confondues avec l'objectif du conteur qui est d'amener l'action à son point culminant. Dans le récit, le point culminant conduit à la solution finale d'un problème, et Ionesco déteste « la pièce de théâtre raisonnement, construite comme un syllogisme, dont les dernières scènes constituent la conclusion logique des scènes introductives, considérées comme des prémisses ». Ionesco rejette la pièce bien faite qui raconte une histoire.

Je n'écris pas de théâtre pour raconter une histoire. Le théâtre ne peut être épique... puisqu'il est dramatique. Pour moi une pièce de théâtre ne consiste pas dans la description du déroulement de cette histoire : ce serait faire un roman ou du cinéma. Une pièce de théâtre est une construction, constituée d'une série d'états de conscience, ou de situations, qui s'intensifient, se densifient, puis se nouent, soit pour se dénouer, soit pour finir dans un inextricable insoutenable.

À la construction logique, élégante, de la pièce bien faite, Ionesco oppose le besoin d'intensité, le renforcement progressif de la tension psychologique. Pour atteindre ce résultat, l'auteur, d'après Ionesco, n'est tenu à aucune règle ou contrainte :

Tout est permis au théâtre : incarner des personnages, mais aussi matérialiser des angoisses, des présences intérieures. Il est donc non seulement permis, mais recommandé de faire jouer les accessoires, faire vivre les objets, animer les décors, concrétiser les symboles. De même que la parole est continuée par le geste, le jeu, la pantomime, qui, au moment où la parole devient insuffisante, se substituent à elle, les éléments scéniques matériels peuvent l'amplifier à leur tour.

Le langage est ainsi réduit à une fonction relativement mineure. Selon Ionesco, le théâtre ne peut espérer se mesurer aux formes d'expression pour lesquelles le langage est le seul moyen ; le discours philosophique, le langage descriptif de la poésie ou du roman, car « le théâtre, plaide-t-il, a une façon propre d'utiliser la parole, c'est le dialogue, c'est la parole de combat, de conflit ». Le langage au théâtre n'est pas une fin en soi, mais simplement un élément parmi beaucoup d'autres : l'auteur peut le traiter librement, il peut faire que l'action contredise le texte, ou faire que les dialogues se désintègrent tout à fait. Ces libertés servent l'intensification que recherche Ionesco dans son théâtre. Le langage peut être transformé en matériau théâtral si on le porte

> ...à son paroxysme, pour donner au théâtre sa vraie mesure, qui est dans la démesure ; le verbe lui-même doit être tendu jusqu'à ses limites ultimes, le langage doit presque exploser, ou se détruire, dans son impossibilité de contenir les significations.

Le rythme des pièces de Ionesco est un rythme d'intensification, d'accélération, d'accumulation, de prolifération poussées jusqu'au paroxysme, et quand la tension psychologique atteint l'intolérable, celui de l'orgasme, il doit être suivi d'une détente qui libère la tension et lui substitue un sentiment de sérénité. Cette libération prend la forme du rire. Et c'est pourquoi les pièces de Ionesco sont comiques.

Jacques Guicharnaud

[*Le mécanisme comique*]

Cette vision quantitative [de l'existence] permet de donner corps à une comédie de structure simple, assez fidèle à la thèse de Bergson ayant trait à la mécanique imposée aux êtres vivants. Quand le système du mécanisme est appliqué aux phénomènes de la vie courante, aux activités insignifiantes, aux nombreux domaines qui

JACQUES GUICHARNAUD, *Un monde hors de contrôle,* dans *Cahiers Renaud-Barrault,* nº 42, février 1963, © L'Action théâtrale, Paris.

selon nous, d'ordinaire, échappent à ses lois, il atteint l'essence même de la comédie et du rire. Lorsque dans une conversation au sujet des membres d'une famille, de leurs naissances, de leurs mariages, de leurs métiers et de leurs morts, Ionesco donne à tous ces membres le nom de Bobby Watson, il est certain d'obtenir un double résultat : d'abord un effet de comédie fondé sur le contraste entre ce qu'une famille devrait être et l'incongruité de la famille Watson — autrement dit, l'effet classique obtenu par la révélation d'une vérité scabreuse dissimulée derrière des apparences auparavant considérées comme normales; et puis le rire, parce que la vérité qui se cache derrière la conception consacrée de la famille nous paraît relever de la mécanique la plus rigoureuse *(La Cantatrice chauve)*.

Et ce n'est pas seulement une rigueur mathématique qui est imposée aux êtres humains, elle est aussi rehaussée par une progression géométrique dans l'accélération. Les machines sont lentes et régulières au départ, et il en va de même pour la croissance du cadavre dans *Amédée,* la production des œufs dans *L'Avenir est dans les œufs,* l'arrivée du mobilier dans *Le Nouveau Locataire,* la répétition du dialogue dans *Les Chaises,* l'irritation nerveuse et la confusion du professeur dans *La Leçon,* et la multiplication des rhinocéros dans *Rhinocéros*. Puis l'accroissement ou l'accumulation prend de la vitesse et finit par atteindre la précipitation la plus folle. Ici, en plus de l'influence de gags analogues à ceux des Frères Marx, nous ressentons celle qu'engendre l'accélération technique de l'image cinématographique elle-même.

L'impression générale et dominante que l'on retire de certaines pièces, et qui contribue à créer en nous leur rythme, est celle que procure une machine déréglée hors de tout contrôle. Les variations de vitesse entraînent certaines pauses, mais, dans *Le Nouveau Locataire* ou *Rhinocéros,* par exemple, elles sont comparables au débrayage précédant un nouvel embrayage plutôt qu'à un ralentissement du moteur; il ne s'agit pas d'un retour à une perspective plus humaine. Et l'accélération est toujours double et cumulative; elle s'applique à la fois à la vitesse et à l'augmentation du nombre des objets, si bien que la perte de contrôle s'applique en fin de compte au phénomène même de l'existence. Le théâtre de Ionesco, c'est la comédie, à la fois risible et terrifiante, de l'homme dépassé, transcendé par l'existence elle-même.

Gilles Sandier

[*Les pièges de la rhétorique*]

Rhétorique et machinerie allégorique, voici d'un côté *Le Roi se meurt,* de l'autre *Le Piéton de l'air.*

Évidemment, le Roi, c'est lui. Évidemment, il est émouvant de voir Ionesco regarder la mort sur la scène, comme il passe son temps à le faire dans la vie. Hanté par Job et le roi Salomon, constamment étonné d'être, obsédé par le glissement et l'opacité des choses, il est pris, devant la mort, à la fois de peur panique et de curiosité enfantine. Il est ce roi dépossédé, dont le royaume déjà se décompose, envahit de craquements sinistres comme l'habituel univers de Ionesco est envahi d'objets, cadavres et champignons qui sont les fourriers et les signes visibles de notre mort quotidienne. Mais cette agonie de deux heures, le temps minuté de la représentation (« Tu mourras à la fin du spectacle », s'entend dire le roi), cette agonie a beau se vouloir cérémonie (« La cérémonie commence », dit la pièce), une cérémonie sans musique, c'est pesant. Or, de musique, de lyrisme, il n'y a pas une once : on n'a qu'une rhétorique torrentielle, et assez plate. Et en outre ce roi, allégorique en diable, est un peu lourd de métaphores : il est l'Homme, il est l'Homme-Dieu, il est le Christ, il est Eugène Ionesco, cela fait beaucoup. La chose semble vouloir se tenir entre *Le Roi Lear* et le *Sermon sur la mort.* Mais on regrette Bossuet, et n'est pas Shakespeare qui veut. [...]

Du *Roi se meurt* au *Piéton de l'air,* on passe de l'oratorio funèbre à l'apocalypse pour théâtre du Châtelet. Cela commençait de façon éblouissante; pendant vingt minutes, on avait retrouvé Ionesco. C'était *La Cantatrice*

GILLES SANDIER, *Théâtre et Combat,* © éd. Stock, Paris, 1970.

chauve, projetée dans la campagne anglaise par un après-midi anglais d'un beau dimanche anglais. Le décor mobile de Jacques Noël évoquait les décalcomanies, le douanier Rousseau, les coloriages de nos albums d'enfant : château, ruisseau, collines y apparaissaient comme dans une lanterne magique; des marionnettes y échangeaient des politesses anglaises dans des costumes bonbon anglais; on entendait même chanter une petite cantatrice de huit ans, anglaise, et chauve évidemment. Au milieu de tout cela, l'écrivain Bérenger, homme de théâtre, disait à un reporter qu'il n'avait plus rien à dire et qu'il avait peur de la mort : du moins en ce qui concerne la peur de la mort, il y a longtemps que Ionesco avoue.

Tout cela était ravissant et drôle : c'était un peu *Une partie de campagne,* mais vue par Ionesco dans une campagne anglaise; ce n'était pas très nouveau, mais c'était de la bonne mécanique; après tout, Feydeau reste toujours Feydeau; pourquoi Ionesco ne s'en tiendrait-il pas à Ionesco?

Mais ce Bérenger-Ionesco qui n'avait plus rien à dire, voilà qu'il se met à parler interminablement, et voilà que d'un coup tout s'effondre, exactement au même moment où, dans *Le Roi se meurt,* la rhétorique commence d'apparaître : au bout de vingt minutes. Et voilà que Ionesco recommence à s'expliquer pour dire *sérieusement,* et dans une langue plate, des banalités : par exemple que pour le poète le réel est merveilleux (alors que sa femme, petite-bourgeoise et prénommée Joséphine, ne voit pas plus loin que le bout des arbres), que « l'œil du poète court du ciel à la terre et de la terre au ciel », comme dit Shakespeare; pour nous dire en somme qu'il y a un paradis perdu, et que l'homme est fait pour être un ange (avant cette histoire de péché originel sans doute), bref que, malgré la chute originelle, il doit se souvenir qu'il est capable de s'envoler; et, en effet, la joie le soulevant, il s'envole — les mystiques aussi, quand Dieu souffle, en font autant, comme ce saint Joseph de Copertino dont Blaise Cendrars nous raconte les performances. Cela tient le milieu entre les contes d'Andersen et *La Folle de Chaillot,* cette caricature d'*Intermezzo :* c'est une fantaisie aussi pesante et appuyée pour nous dire à peu près la même chose. Tout cela est déjà verbeux, élémentaire, rudimentaire, avec des références épaisses à la science et à la science-fiction. Foin de l'Histoire et de la Politique, vive le don poétique de double vue et les machines d'opéra. Et la machinerie s'en donne à cœur joie. J.-L. Barrault, en l'air, virevolte et se démène au bout de sa perche, des mannequins piétons et cyclistes batifolent dans les cintres, mais rien ne s'envole, ni le texte, ni le spectateur.

Et puis, enfin — troisième temps — Bérenger redescend, revient de son transcendant voyage : il a « vu » et voici le message : tout n'est qu'horreurs cosmiques, le Mal est radical, l'homme est toujours coupable, on ne guérit pas de la mort, autant mourir enfants (ici deux innocents tombent sous les mitraillettes) ; bref, la Vérité, c'est l'Apocalypse, et jamais la littérature ne pourra en rendre compte (alors, Ionesco, pourquoi écrire ?). Sur un texte indigent, d'énormes machines nous illustrent ces banalités : c'est le procès de Kafka sur un char de mardi gras, avec une gigantesque trogne de juge, des bourreaux en cagoule rouge, la Mort en cagoule blanche déambulant l'échafaud à la main. Bref, l'admirable guignol de naguère, inspiré du guignol de son enfance, qui montrait à Ionesco (lequel à son tour nous le montrait), « insolite, invraisemblable, mais plus vrai que le vrai, le spectacle même du monde dans sa grotesque et brutale vérité », ce guignol, c'est maintenant le pire Grand-Guignol, infantile et sommaire.

Et tout cela se termine, semble-t-il, sur un vague espoir de rédemption : le roi « dépossédé », le « dieu déchu qui se souvient des cieux » (car on oscille entre Pascal et Lamartine) ne semble pas désespérer d'une espèce d'au-delà bénéfique. Ionesco est-il désormais sur son chemin de Damas ? L'Église lui tend les bras. Mauriac et Claudel n'ont pu récupérer Gide pour le faire entrer dans le saint giron ; avec Ionesco, tout espoir n'est pas perdu. Mais alors qu'il fasse vite, et le Claudel du pauvre qu'on devinait dans *Le Roi se meurt*, alors, peut-être, retentira. Mais, dans *Le Piéton de l'air*, il n'y a qu'un bavardage balbutiant, sans même le souffle de la précédente pièce, simple prétexte à machinerie. Si l'on enlève le Châtelet, il ne reste rien de la pièce, rien. Voilà à quoi la peur de la mort a réduit Ionesco : à ce néant sans inspiration. L'univers fabuleux et sinistre que sa cocasserie de naguère nous révélait dans le quotidien a fait place à un fantastique de bazar et sans danger.

C'est le même néant verbeux et vaguement spiritualiste qui se déploie complaisamment dans *La Soif et la Faim,* mise en scène par J.-M. Serreau pour la Comédie-Française, où elle constitua l'apothéose de Ionesco. Il y eut vingt-deux rappels le soir de la « première »; il y eut même le quarteron irréductible des cravatés du Mardi pour faire à Ionesco le plaisir de siffler : le triomphe, ainsi, aura été parfait. Comment n'y aurait-il pas eu triomphe puisque Ionesco parle maintenant aux hordes bourgeoises le langage qu'elles attendent? Ses peurs et ses cauchemars d'enfant, son étonnement angoissé devant l'univers, sa quête pathétique d'innocence, son rêve de l'impossible Éden, quand il leur exprimait tout cela dans le langage spécifiquement théâtral qu'il avait inventé, du temps qu'il se refusait à user des mots autrement que comme de coquilles vides, ces hordes n'ont pas voulu l'entendre. Maintenant il les a rejointes. Que veulent-ils? Du pathétique, des phrases et de la machinerie? Ils en auront. À brassées. Son nouveau public raffole de ce si beau français dont parle Maurois (à propos de cette pièce, justement), c'est-à-dire la rhétorique sans vergogne, le langage le plus dénué de poésie, la phraséologie étale qui roule ses vagues de clichés : on ne les leur ménage pas. Tout ce qu'ils aiment, on le leur donne : du spiritualisme en veux-tu en voilà, du mysticisme à l'état sauvage, de l'allégorie symboliste, du Faust et Marguerite, de la difficulté d'être, de la quête du Graal, de la recherche de l'absolu. [...]

Ionesco en est là. On n'a pas de plaisir à parler sévèrement d'un homme qu'on a aimé. Mais il faut bien dire qu'en face de Genet, Beckett, Audiberti et Vauthier, Ionesco ne fait plus le poids. Ionesco avait peu de choses à dire, mais il les disait naguère dans son langage à lui, un langage scénique nouveau et efficace.

Maintenant, c'est fini. Et l'effondrement de l'œuvre semble bien tenir à deux causes essentielles. D'une part Ionesco a renoncé à ce qui faisait sa seule originalité vraie (car la mécanique comique, tout compte fait, elle était déjà dans Feydeau) : c'est-à-dire une conception *tragique* du langage, impuissant à exprimer sentiments et pensées et à saisir le réel dans des mailles de mots. Devenu, au contraire rassurant, il a permis à Ionesco d'apprivoiser sa propre angoisse, d'où le plaisir qu'il prend à manier la rhétorique.

Robert Kanters

[*Le roi dépossédé*]

De la calvitie des cantatrices à la peste, en passant par la rhinocérite, le théâtre de M. Eugène Ionesco s'attaque-t-il à des maux de plus en plus graves de la condition humaine? Et les pièces sont-elles de plus en plus fortes? On peut — me semble-t-il — en douter pour ces « Jeux de massacre », où l'auteur semble vouloir traiter avec la méthode de ses pièces très courtes les thèmes de ses pièces longues. Mais il n'y a qu'un Ionesco, et c'est l'occasion de s'en apercevoir. [...]

En fait, depuis le début, M. Ionesco écrit des pièces qu'il faut, je crois, prendre comme des fables. Cela explique un certain décalage des lieux et des personnages qui ne relèvent jamais d'un réalisme plat. Et aussi un certain emploi du langage, qui, au moment où il nous fait rire par sa banalité d'emprunt, frappe bien au-delà. La grande découverte du fabuliste Ionesco, c'est que les hommes sont aussi des animaux qui parlent. Et il s'en sert pour écrire depuis vingt ans toujours la même fable, celle des animaux malades de la mort.

Les premières petites pièces, les plus célèbres et les plus souvent jouées, *La Cantatrice chauve, Les Chaises, La Leçon,* ont peut-être été accueillies avec quelque méfiance d'abord parce qu'on percevait un terrible goût d'amertume sous le rire. On leur a fait un succès ensuite parce qu'elles semblaient traiter l'absurde à la mode du temps de Camus (tiens, l'auteur de *La Peste*) avec un comique bête et méchant. Mais ce sont d'abord des images d'un absurde quotidien et langagier qui nous préparent à l'absurde final du grand silence. La vie y apparaît comme

Robert Kanters, *Ionesco, côté mort,* dans *L'Express,* 28 septembre-4 octobre 1970.

des histoires racontées par des idiots, et qui ne signifient rien. Mais, déjà, *Tueur sans gages* est la pièce de la mort cachée dans la cité radieuse comme le ver dans le fruit; *Rhinocéros,* la pièce de la dérisoire démission de l'homme qui se fait bête du troupeau politique; *Le Roi se meurt* est le grand, l'admirable lamento où la mort parle presque en direct; *La Soif et la Faim,* la vaine recherche d'un aliment pour le cœur. Et voici rassemblées dans les vingt tableaux de *Jeux de massacre* toutes les petites fables de l'épidémie, de la maladie à la mort. La mort qui est, de plus en plus, pour le dramaturge de l'absurde, l'absurdité sans réplique.

La pièce, créée à Dusseldorf il y a quelques mois, est la fresque divisée en petits tableaux, en détails, d'une ville, ou d'une humanité, frappée par une maladie. On part de scènes dans la rue, au marché, où les passants échangent des propos bien niais et bien absurdes, comme au bon vieux temps de *La Cantatrice chauve* ou de l'almanach Vermot; puis deux petits jumeaux meurent, violacés, dans leur landau, et la danse macabre commence qui va aller de proche en proche. Chaque petite scène illustre mécaniquement un ridicule, une absurdité; ni l'argent, ni la vanité, ni la médecine, ni la politique de droite ou de gauche ne peuvent nous préserver. Le malheur est que ces absurdités sont aussi des lieux communs et que M. Ionesco n'en donne que des illustrations sommaires, presque comme à Guignol ou au jeu de massacre forain. C'est le film, la bande de la mort dessinée avec de petits bonshommes dans les marges du grand texte qui reste *Le Roi se meurt.* Ici, une prose pauvre frappe toujours sur le même clou.

Ne reste-t-il rien? Un moine noir invisible aux autres traverse toute la pièce, qui semble échappé de la pièce précédente, le couvent-auberge de la bonne mort de *La Soif et la Faim.* Le metteur en scène en fait la Mort, mais est-ce bien sûr? Et puis, il y a deux scènes très belles, du grand Ionesco : l'une représente deux couples jeunes, côté cour et côté jardin, qui vivent presque le même drame, disent presque les mêmes mots, comme par un effet d'écho et de miroir, et ce miroir, nous sentons que la pièce nous le tend. L'autre scène, la seule vraiment écrite de toute la pièce, est celle des adieux d'un vieux et d'une vieille qui ont vécu tendrement toute leur vie ensemble, qui sont d'autant plus frappés par la cruauté imbécile du sort, mais qui ont encore la force de faire, à leur amour, la respiration artificielle. Cela veut dire peut-être que c'est en vain que les champignons poussent dans la maison de l'amour; que les choses les plus noires, même si le désespoir essaie de s'installer en nous, rayonnent sourdement dans la lumière de la tendresse.

Richard N. Coe

La farce tragique

L'absurde, en fait, est à la fois comique et tragique. D'ailleurs, ces deux éléments opposés ne s'excluent pas l'un l'autre. On pourrait plutôt dire qu'ils engendrent un certain état de tension, ce que Stéphane Lupasco appelle *un antagonisme dynamique;* et c'est de cette double absurdité que jaillit le comique de Ionesco. Dans *La Leçon* comme dans *La Cantatrice chauve,* dans *Tueur sans gages* tout comme dans *Amédée ou Comment s'en débarrasser,* le comique et le tragique se mêlent, inventant en quelque sorte une nouvelle dimension dans le domaine de l'émotion et déterminant aussi bien la forme du théâtre de Ionesco que son contenu.

Le *Théâtre agressif* est l'étape la plus importante dans le domaine de l'art dramatique européen, depuis que Tchékhov a écrit *La Cerisaie* et *La Mouette,* et ceci aussi bien techniquement qu'intellectuellement.

Entre les deux pôles opposés du tragique et du rire, il y a un lien ténu : l'instinct de révolte, le refus obstiné de se soumettre. Le pessimisme de Ionesco, dans ce qu'il a d'absolu, se place bien au-dessus des états dépressifs et des humeurs changeantes du commun des mortels ; il n'est pourtant pas désespoir, car le désespoir implique une reddition finale devant cet obstacle insurmontable

Richard N. Coe, *La Farce tragique,* « Proceedings of the Leeds Philosophical and Literary Society », t. IX, mars 1962. Repris dans *Cahiers Renaud-Barrault,* nº 42, février 1963 (traduction de Claude Clergé),

que représente l'univers, alors que Ionesco est continuellement en état de révolte contre l'univers.

Sa révolte est de celles qui n'ont pas l'espoir du succès (car, si tout est absurde, se révolter contre cette absurdité n'est pas autre chose que de l'absurdité poussée à la puissance N); pourtant, d'un autre côté, poser les armes, choisir le refuge chaud et bien abrité d'une croyance en la logique et le but tracé, et y végéter dans le confort intellectuel d'une petite philosophie de banlieusard, serait, pour lui, trahir à tout jamais la dignité humaine. L'homme peut être condamné à disparaître par un destin aveugle; pourtant l'homme est toujours l'homme et, en tant que tel, responsable de chacun de ses actes, de chacun de ses gestes; il a la lucidité d'un héros racinien, mais cette lucidité ne lui permet pas d'atteindre, de percevoir autre chose que les dimensions intolérables de sa propre absurdité. Voilà l'angoisse inhérente à l'univers de Ionesco; car, chez lui comme chez Sartre, on trouve parfois plus d'un trait d'un calvinisme implacable. Comme Phèdre, son héros Bérenger a été choisi par les dieux pour recevoir une parcelle au moins, du don de la grâce; mais ce *don de la grâce* n'est bon qu'à lui révéler qu'il est damné.

Ce conflit entre, d'un côté, une prise de responsabilité totale et, de l'autre, une déroute complète, est l'étoffe même de la tragédie; et où il y a tragédie, il y a au moins la possibilité d'une comédie. Car la tragédie et la comédie (dans leur forme la plus pure) ont au moins ceci en commun qu'elles sont toutes deux des interprétations métaphysiques du dilemme humain.

Tragédie et comédie sont inséparables et, en affirmant le contraire, Boileau révèle une des principales faiblesses de la tradition classique française.

La révolution du théâtre moderne, de Tchékhov à Ionesco et Beckett, est née de la découverte que l'homme, qui n'est ni comique ni tragique dans le cadre social, l'est *sub specie aeternitatis* de même qu'il est alors pathétique et grotesque — en d'autres mots, absurde. *Mes pièces,* dit Ionesco, *peuvent paraître tragiques, ou elles peuvent paraître comiques, car je suis totalement incapable de faire une distinction entre les deux.* Mais Tchékhov aurait pu en dire tout autant. Réaliser soudainement que le cosmos est simplement dénué de sens est plus que déprimant, c'est insupportable et lorsqu'une situation est insupportable, lorsqu'il n'y a littéralement *pas de solution,* ni dans l'action, ni dans la prière, ni même dans la mort, alors les seules réactions possibles sont irrationnelles : les larmes ou le rire. Et Ionesco préfère le rire.

Cette préférence paradoxale pour le rire, pour la tragédie sous la forme de farce, n'est en aucune sorte une solution de facilité. Pour Ionesco *le comique est plus désespéré que le tragique* [1] car on peut encore plus difficilement lui échapper. C'est un fait admis que la tragédie a pour tâche de peindre la défaite totale de l'homme, son impuissance pathétique lorsque le destin lui est contraire; mais cela même peut être une sorte de consolation, puisque *la tragédie reconnaît du même coup la réalité d'une fatalité, d'une destinée, de lois qui régissent l'univers, lois parfois incompréhensibles mais objectives* [2]. Alors que la comédie, qui est fondamentalement *l'intuition de l'absurde,* exprime cette intuition en des termes qui, eux-mêmes, sont absurdes, et ne suggèrent rien, ni critère ni loi objective érigée contre l'absurde et qui puisse rassurer. L'essence de la tragédie pure est la catharsis — la purification du spectateur par sa participation au drame qui a lieu sur scène. Mais ceci présuppose un idéal humain de noblesse : un homme qui puisse être purifié, ramené au pur état de grâce dont il est chu; la conception de la tragédie, tout entière, implique un but, une fin, un idéal de perfection ou de perfectibilité, en conflit avec l'absurde. En outre, participer en tant que spectateur à une action tragique entraîne une certaine perte de lucidité, l'identification totale avec un personnage scénique est une expérience affective qui, par son intensité même, peut contribuer à dissiper la conscience de l'absurde. La souffrance, en soi, peut être une manière d'échapper — les martyrs chrétiens le savaient bien. Être conscient, et pourtant impuissant, participer à une situation sans être capable d'oublier sa propre identité ou perdre sa propre réalité dans un personnage de théâtre est, finalement, plus tragique que de se créer, par le martyr, l'illu-

---

1. *Discovering the Theater,* M. Leonard C. Pronko, dans *Tulane Drama Review,* vol. IV, nº 1, septembre 1959, p. 11.
2. *Ibid.*

sion d'une signification. Ainsi, la comédie qui reste objective comporte une lucidité sans limite qui est également liberté.

Devant une tragédie, le spectateur n'est pas libre (ou s'il l'est, la tragédie est ratée); il abandonne sa propre responsabilité, il accepte la fatalité que le dramaturge lui impose. Mais le rire est une réaction de libération; celui qui rit n'est plus l'esclave de ce qui le fait rire; il reste hors de l'action, il retient sa conscience, sa responsabilité; il ne subit pas d'influence, il juge intellectuellement et objectivement; il jouit d'une *conscience lucide de ce qui est tragique ou risible dans la condition humaine.* Il ne lui est point défendu de prendre part à l'action qui a lieu sur scène; au contraire, on l'y incite et on l'encourage puisque, tôt ou tard, le rire, inévitablement, va surgir en lui et va ainsi le libérer encore une fois. En un mot, en forçant le spectateur à rire du tragique, Ionesco, bien loin d'affaiblir tout ce que son œuvre implique, obtient avec une extrême économie de moyens le même effet de *distanciation* que Brecht avait passé sa vie à chercher avec tant d'efforts.

Mais la clé de voûte dans la technique dramatique de Ionesco est l'exagération. Un événement réel, une situation réelle, enflés, amplifiés, répétés *ad absurdum,* s'échappe du contexte contraignant du *naturalisme,* et pourtant garde la marque évidente de la vérité. Sous la caricature, les traits du modèle original sont encore reconnaissables — peut-être même mieux que dans une simple photographie. Pour Ionesco, la comédie et la tragédie sont encore proches de la réalité brute; elles sont encore trop inoffensives, tout compte fait. Si le théâtre, selon Antonin Artaud, doit faire appel à tous les sens, et non pas s'adresser au seul moyen de communication rationnel et comparativement inoffensif des mots, s'il doit devenir le théâtre de la violence et de la *cruauté* (Antonin Artaud, *Le Théâtre et son double*), il faudra qu'il abandonne les formes trop raffinées de la tragédie et de la comédie en faveur de leurs contreparties plus primitives et plus violentes : le mélodrame et la farce.

À proprement parler, seuls *Tueur sans gages* et *Rhinocéros* — peut-être un seul personnage : Bérenger — appartiennent au domaine de la comédie; tout le reste du théâtre de Ionesco, depuis *La Cantatrice chauve* jusqu'aux *Salutations,* est fondé sur la technique de la farce. Et la farce est un genre dramatique extrêmement sérieux. La farce est une méthode quasi mécanique d'obtenir le rire, *abstraction faite de toutes autres données.* De toutes les formes littéraires, la farce est la moins sentimentale. Par définition, elle est impitoyable : le pauvre Pantalon est exploité, tourné en ridicule, berné — et le spectateur rit; il n'éprouve ni pitié, ni compréhension pour les souffrances de la pauvre victime. La farce n'est pas seulement invraisemblable, elle est impossible — absurde. Dans un sens, c'est une sorte de soupape de sécurité; la violence et la haine refoulées en chacun de nous trouve à se satisfaire dans la raillerie cruelle et la brutalité d'une imagination impitoyable. C'est l'interprétation du rire par Freud, interprétation que reprend le critique américain Éric Bentley : *Dans la farce, comme dans les rêves, l'offense est permise sans qu'on ait à craindre les conséquences.*

Pour Ionesco, cependant, le but de la farce n'est pas la satisfaction d'instincts refoulés, mais bien au contraire leur répression. Freud croit que les tendances morbides et violentes existent en nous et doivent trouver un exutoire, si nous désirons vivre normalement et hygiéniquement; Ionesco croit que la cruauté, la violence et l'absurdité sont la substance même du monde; comment donc pourrions-nous trouver un exutoire à des tendances morbides, alors qu'il n'y a pas d'alternative? Le rire est la seule réaction concevable, car le reste n'est que mort et silence. Les termes mêmes du freudisme — frustration, répression, norme, etc. — sont dénués de sens; il n'y a simplement que la lucidité ou la non-lucidité, et ni l'une ni l'autre ne nous permettent d'échapper à l'absurde. Ainsi, une fois de plus, nous constatons que le rire de Ionesco est un rire d'un genre particulier : un rire où, pour la première fois peut-être, toutes les implications de la farce sont contenues. C'est le *rire de l'hyène* [3]. C'est un rire *cruel et désolant* [4]. C'est un rire noir, glacé, sinistre — et pourtant irrésistible. C'est un

3. William Saroyan. *Ionesco. Cahier des Saisons,* nº 15, 1959, p. 207.
4. Robert Abirached. *Ionesco et les Chaises. Les Études,* vol. CCXC, 1956, p. 117.

rire pénible, comme il le serait dans une farce ordinaire, si le spectateur acceptait de s'identifier avec la victime; ici, pas question de s'identifier avec la victime, et pourtant ce rire est pénible. Le fait même que le spectateur soit détaché du personnage augmente plutôt qu'il ne diminue l'impression de menace, car c'est la situation plus que le personnage qui est universelle. Si la farce, comme genre littéraire, semble vide, invraisemblable, précaire, elle n'en est pas pour autant *moins* mais *plus* expressive; dans un monde vide de logique, *ou toute chose se décompose, se dissout dans l'absurde, tourne inévitablement à la dérision et au grotesque* (Ionesco), la farce devient le symbole universel de l'existence. *Le comique est tragique et la tragédie de l'homme, risible*[5].

Claude Abastado

[*L'art réinventé*]

L'analyse des techniques mises en œuvre par Ionesco indique des intentions parodiques. La dérision de l'intrigue, l'insignifiance des personnages, la désarticulation du langage, un jeu qui mêle les tonalités définissent un « antithéâtre ».

Mais une progression dramatique impliquant des conflits existentiels, une psychologie fondée sur la dynamique des contraires, une logique « non aristotélicienne » des actions et des actants, un langage qui est un mode d'exploration du réel plus qu'un code de communication, une mise en scène qui ouvre sur toutes les formes du spectacle permettent de parler d'un « nouveau théâtre ».

D'anciennes formes sont récusées, de nouvelles formes instaurées : une dramaturgie s'institue. Et ce renouvellement de l'expression vise à rendre compte de l'incom-

Claude Abastado, *Eugène Ionesco,* coll. « Présences littéraires »,

---

5. *Discovering the Theater,* M. Leonard C. Pronko, dans *Tulane Drama Review,* vol. IV, nº 1, septembre 1959, p. 11.

muniqué ou à retrouver des vérités perdues : arriver à l'inconnu, redire les évidences et pour cela « trouver une langue ». Aussi le théâtre de Ionesco apparaît-il comme une quête de la surréalité, une expression de la condition absurde de l'homme et une réflexion sur les formes dramatiques.

UNE QUÊTE DE LA SURRÉALITÉ

La visée de Ionesco est surréaliste. Historiquement et philosophiquement. Son théâtre s'inscrit dans la ligne des recherches de Jarry, d'Apollinaire, de Vitrac, de Desnos. Sa dramaturgie rejoint les théories d'Artaud. On sait ce que Breton pensait de *La Cantatrice chauve*[1]. Dans une perspective élargie, il convient de souligner l'influence sur Ionesco de Flaubert, de Dostoïevski, de Kafka.

À la recherche de l'« authenticité », Ionesco tourne en dérision une réalité superficielle à ses yeux, le personnage social, moule tout fait où les individus se glissent et s'enferment; il condamne une pensée et une conduite stéréotypées qui se traduisent par les clichés du langage et un comportement mécanique; il rejette les normes de la logique rationnelle — « la plus haïssable des prisons », selon Breton[2] — contraignante à travers l'éducation, la famille, la profession, les relations au sein du groupe; il met en cause le système de valeurs sur lequel se fonde notre société.

Pour Ionesco, la personnalité « authentique » est dans la profondeur. Tout son théâtre est une exploration de l'inconscient, conçu comme la source de la pensée et de l'action, et, en même temps, comme la réalité psychique commune à tous les individus. L'amour, recherche désespérée de l'unité perdue, la mort, hantise et fascination, l'étonnement d'être sont des obsessions humaines fondamentales. L'homme est animé par des pulsions et des instincts qui affleurent aux marges de la conscience et se trahissent dans des mouvements ébauchés ou des

1. « Voilà ce que nous avons voulu faire il y a vingt ans », a-t-il dit.
2. *Nadja*.

propos sans cohérence. Chacun est le champ clos où se combattent Éros et Thanatos.

Ionesco peint le déchirement et la contradiction. En apparence, car l'inconscient a ses lois. Il y a une logique de la contradiction, une résolution des antinomies. Pour « changer la vie », pour que l'existence devienne vraiment « poétique », il importe de chercher dans la dynamique de l'inconscient le renouvellement de l'être. Breton, dans les *Manifestes du surréalisme,* ne dit pas autre chose; Ionesco écrit à son propos au moment de sa mort : « Il vivait, non pas dans la contradiction mais dans le paradoxe. Ce théoricien de l'irrationnel élargissait, approfondissait, augmentait la raison; l'irrationalité apparaissait ainsi comme la face cachée de la raison que la conscience pouvait explorer, intégrer [3]. » C'est également ce que fait Ionesco dans son théâtre.

L'exploration de cette « profondeur », de ces zones d'ombre de la psyché s'inspire de la psychanalyse, des méthodes de Freud ou de Jung, mais adaptées à la littérature : elle rejoint par là les techniques surréalistes. Il utilise les lapsus comme ressort du comique mais aussi comme révélateur de la pensée refoulée. Il exploite le paradoxe dans les dialogues et les comportements. Il pratique la « parole automatique » et le récit onirique en brisant les carcans de la syntaxe pour retrouver une autre logique, un autre enchaînement de la pensée et des images, une autre structure du temps et de l'espace. Il transpose dans le langage les procédés du « collage ». Certaines scènes — qui souvent dévoilent la signification des pièces — reprennent avec plus ou moins de rigueur la technique du psychodrame.

Le théâtre de Ionesco, dans sa mise en œuvre aussi bien que dans sa visée, apparaît comme un accomplissement de la pensée surréaliste.

LA VISION D'UN MONDE ABSURDE

Investigation de l'individu, ce théâtre est aussi la conscience d'une époque. Jamais, même dans *Rhinocéros,* on ne trouve d'allusion directe à l'actualité mais les

---

3. *Présent passé Passé présent,* 30 septembre 1966.

angoisses des personnages sont celles que l'on éprouve aujourd'hui devant l'apocalypse, devant un monde qui sécrète l'inhumain. Les « images scéniques » figurent des situations hors du temps mais leur tonalité est historique.

Ionesco exprime dans son théâtre la conscience déchirée de tous ceux qu'a marqués la nuit des dictatures ; ils ont vu s'effondrer les valeurs d'humanité, disparaître l'exercice de la liberté ; ils pressentent dans l'avenir plus de menaces que d'espérances ; ils ressentent de façon aiguë l'absurdité d'un monde en plein désarroi, une condition humaine désespérée [4].

Les situations suggérées par Ionesco dans ses pièces traduisent l'écrasement de l'individu : sadisme et violence marquent les rapports avec autrui dans *La Leçon* ou *Victimes du devoir;* l'emprise du groupe familial ou social est soulignée dans *Jacques, Rhinocéros, La Soif et la Faim;* la tyrannie des idéologies est partout présente.

L'homme est seul parce qu'il est incapable de fraternité *(Rhinocéros)*, incapable de réaliser l'amour durablement. Les couples sont éphémères *(Rhinocéros)* ou dérisoires *(La Cantatrice chauve, Les Chaises);* les rapports se réduisent à l'érotisme *(Jacques)* ou à une alliance infernale, un « huis clos » qui enchaîne deux êtres impuissants à s'aimer et condamnés à se faire souffrir *(Victimes du devoir, Amédée, La Soif et la Faim)*.

La solitude humaine est aussi celle de la mort. La pensée humaniste a fait de l'homme un roi mais c'est un roi déchu car il meurt, et meurt seul. La mort ôte à l'existence sa valeur : la Cité radieuse est absurde puisqu'il y a le Tueur ; Bérenger, le « piéton de l'air », ne peut plus écrire parce qu'on ne peut « guérir de la mort » ; Jean rêve d'un pays où il serait interdit de mourir. La mort est un cauchemar collectif autant qu'une obsession individuelle. « Amour et haine, amour et destruction, c'est une opposition assez importante, n'est-ce pas, pour me donner l'impression d'*absurde*. Comment bâtir une logique à partir de là, même dialectique [5]? »

Le théâtre de Ionesco dit la mort de l'homme ; il dit

4. Ionesco avait vingt-cinq ans quand le fascisme s'imposa en Roumanie ; il avait trente-trois ans à la fin de la guerre.

5. *Entretiens* avec Claude Bonnefoy.

aussi la mort de Dieu. L'Antimonde n'est qu'un chaos; Bérenger Ier en mourant ne songe qu'au passé et la passerelle qu'il franchit ne le conduit qu'au néant; l'échelle d'argent de *La Soif et la Faim* est une interrogation sur le sens de la vie et non l'espoir d'un Ailleurs. La destinée est sans issue, le message de l'absolu est absence, la seule invocation est le « *Grand Rien* ».

Partout chez Ionesco la matière se multiplie et prolifère; les êtres s'y enlisent ou se confondent avec elle, ils deviennent eux-mêmes matière. Le monde cesse d'être humain.

La conscience de cette condition tragique, des conflits qui déchirent l'individu, qui opposent l'individu au groupe et l'homme à la matière qui l'environne; le refus par l'homme de ce destin, de cette errance sans but dans un univers sans frontières; telles sont les deux formes d'une éthique fondée sur une *philosophie de l'absurde*. « Notre condition existentielle est absurde; personne ne veut venir au monde; personne ne veut en sortir [6]. »

Les préoccupations de Ionesco et sa vision de la réalité, en effet, rejoignent celles des écrivains et des philosophes qui, au lendemain de la guerre, montraient l'individu cerné de toutes parts par l'inhumain, « étranger » condamné à la lucidité, condamné au « huis clos » où le regard de l'autre est un enfer, assumant un destin qu'il n'a pas choisi, voué à tous les échecs.

En ce sens, l'œuvre de Ionesco est historiquement « engagée ». Jamais elle n'exprime en clair une éthique, un système de valeurs car Ionesco ne veut pas opposer une idéologie à d'autres idéologies. Mais ses refus et la prise de conscience des problèmes marquent son engagement. Le théâtre engagé ne se réduit pas aux seules formes d'Ibsen, de Brecht ou de Sartre. Il y a « engagement » et il y a « théâtre » toutes les fois que sont *en jeu* l'homme et sa destinée, à l'intersection du temps et de l'éternité.

Mais Sartre et Camus signifient leurs options sans modifier les structures littéraires. Ionesco, au contraire, remet en question les formes dramatiques. Son théâtre est une réflexion esthétique.

---

6. Entretien radiophonique, 21 février 1970.

UNE RÉFLEXION SUR LES FORMES

« Comment faire pour que la littérature soit une exploration intéressante? » demande Bérenger dans *Le Piéton de l'air*. Ionesco s'interroge lorsqu'il fait parler Choubert, Nicolas d'Eu, Bérenger et le journaliste ou lorsqu'il se met lui-même en scène dans *L'impromptu de l'Alma*. Surtout il répond à travers tout son théâtre lorsqu'il invente des formes pour imposer les évidences de sa vision du monde.

« Écrire, c'est réfléchir aux mots », disait Bachelard [7]. Et, dans le procès d'écriture, donner aux choses des significations nouvelles. Camus ou Sartre, fidèles à l'esthétique traditionnelle, ont disserté de *l'absurde* dans leurs théâtres ou leurs récits à travers une parole rationnelle et des mythes historiques. Il y a distorsion entre les formes et la vision du monde, entre le signifiant et le signifié. Mais ils savaient d'avance ce qu'ils avaient à dire.

Chez Ionesco, au contraire, les nouvelles formes inventent les significations. La surréalité est présente dans les récits oniriques et les psychodrames; des mythes modernes (rhinocéros ou champignons) surgissent des phantasmes inconscients; l'incohérence des images scéniques transcrit l'incohérence du monde; le désastre de la parole fige en cadavres de mots la dislocation des valeurs; la Mère Pipe et Tarabas sont les prophètes vides d'un univers de folie. L'absurdité du monde est une évidence vécue.

Ces formes neuves sont concertées. Elles instaurent un univers théâtral qui transpose le réel en lui donnant une signification. Les métamorphoses d'un policier en père ou en médecin, les mutations d'hommes en rhinocéros ou en oies, les personnages grotesques ou plus grands que nature, le royaume qui se réduit à une poignée de sable au creux d'une main, le cadavre qui grandit... n'ont de valeur que parce qu'ils sont signifiants. Ce sont des conventions entre l'auteur et le public, des conventions qui ne sont pas reçues d'emblée; d'où

7. À propos des *Fleurs de Tarbes* de Jean Paulhan, dans le recueil posthume : *Le Droit de rêver*, P.U.F., 1970.

une résistance et une hostilité qui, envers Ionesco, ont duré près de dix ans.

Pour que ces conventions signifiantes — toutes les normes de la dramaturgie de Ionesco — soient acceptées, l'auteur doit introduire d'autres marques du vrai, celles-ci non porteuses de sens. Ce sont encore des conventions [8]. Ainsi Ionesco présente des éléments qui renvoient le public aux usages, aux habitudes, aux comportements familiers : déroulement d'une soirée en famille, manière de commander un cognac dans un grand verre, propos de spectateurs au théâtre. Et, en même temps, il interrompt la fiction par des allusions directes au jeu des acteurs, au temps de la représentation, aux machinistes et aux accessoiristes, pour indiquer que la signification de la pièce n'est pas dans ces éléments « réalistes », qu'il n'écrit pas des drames « naturalistes ».

Transpositions signifiantes, effets de réel : ce double système de conventions définit la technique et la structure d'un théâtre. Il soutient, il révèle la vision du monde d'un auteur. C'est pourquoi un écrivain authentique réfléchit sur les formes et les remet en cause. L'affirmation de nouvelles valeurs ne peut se faire qu'à travers l'art réinventé. La grandeur de Ionesco est de l'avoir compris et accompli.

---

8. Une anecdote illustre bien ce problème ; Ionesco la raconte à Claude Bonnefoy. Aux États-Unis, un metteur en scène de *Rhinocéros* admettait fort bien le sujet de la pièce et la transformation de toute une population en pachydermes, mais une chose le gênait : « Il m'a dit : “ Écoutez, avec votre permission, je vais introduire une réplique dans votre pièce. Voici pourquoi. Au début du troisième acte, Bérenger, le héros de la pièce, se rend chez son ami Jean [...] Vous allez donc me permettre d'ajouter une réplique à la fin du deuxième acte parce que ce début n'est pas possible [...] Il y a un téléphone dans le bureau où se trouve Bérenger. Celui-ci va décrocher, composer un numéro, il dira : Je vais appeler mon ami Jean pour savoir s'il est chez lui. ” »

Pour le metteur en scène et le public américain, la métamorphose est acceptée car elle a une signification ; elle est symbolique ou analogique ; c'est une convention du théâtre fantastique. En revanche, il paraît inadmissible que l'on aille chez un ami sans lui téléphoner auparavant ; cela ne se fait pas, ce n'est pas dans les usages ; et cela ne peut être « interprété ». On voit bien là jouer la complémentarité des deux systèmes de conventions.

Jean Delay

[*Postface*]

De vos premières antipièces à vos dernières pièces, vous avez suivi votre pente mais en la remontant. Vous auriez pu aisément vous limiter au genre burlesque, mais votre vision comique de l'absurde s'accompagne d'un sentiment tragique de la vie, de plus en plus manifeste à mesure que vos personnages expriment votre propre angoisse devant la destinée. Un contrepoint d'humour noir et de lyrisme métaphysique caractérise votre nouvelle manière. Tenir l'équilibre entre des mouvements aussi contraires, entre le drôlatique et le pathétique, est un exercice de corde raide, mais c'est une belle audace de poursuivre à ses risques et périls des fins de plus en plus difficiles à atteindre, l'œuvre précédente n'étant que le tremplin de l'œuvre future. Vous souvenez-vous, Monsieur, de l'ode funambulesque où Banville a évoqué la légende d'un clown nostalgique qui faisait rire par ses tours de fantaisie, mais rêvait de l'inaccessible? Un soir, au cirque rempli d'enfants de tous âges, le funambule sauta si haut qu'il creva le plafond de toile et disparut dans les étoiles. Nous tenons trop à votre compagnie pour vous souhaiter pareil destin. Mais les gens de lettres, comme les gens du voyage, font parfois le métier d'illusionniste qui prête à la confusion des genres. L'ascension de ce saltimbanque, pailleté de l'or des astres et des chimères, symbolise l'instant de grâce où le bouffon rejoint la poésie.

Vous avez rappelé dans vos souvenirs que la découverte de la poésie avait été à l'origine de votre vocation. On surprendrait certains amateurs de votre théâtre, qui en apprécient surtout la noirceur ou la férocité, en leur révélant que vous avez été dans votre jeunesse un poète élégiaque dont la sensibilité grandissait dans les serres chaudes du symbolisme, à l'ombre du jardin

Jean Delay, *Réponse* (au Discours de Réception d'Eugène Ionesco à l'Académie française), © éd. Gallimard, Paris, 1971.

de l'Infante. À la réalité quotidienne qui vous faisait horreur, vous opposiez les inspirations qui la transfigurent, les instants radieux où, disiez-vous, « tout d'un coup le monde acquiert une beauté inexplicable ; n'importe quoi émerveille, tout est une épiphanie glorieuse, le moindre objet resplendit ». Vous avez ajouté plus tard : « Quand j'étais jeune, j'avais des ressources lumineuses, elles commencent à décroître, je vais vers la boue. » Le chant intérieur qui vous soulevait au temps des enthousiasmes ne s'est jamais tout à fait tu, mais il a pris des formes inattendues. Il s'est exprimé, à l'âge de la maturité, par la voix discordante d'une muse déplumée : la cantatrice chauve. À l'élégiaque avait succédé le satirique dont la veine burlesque n'est qu'un lyrisme retourné. Comment s'opéra ce retournement, vous le direz peut-être un jour, puisque c'est le secret de votre histoire. Votre théâtre déclenche le rire, plus nerveux qu'il n'est gai, de la désillusion comique : il évoque ces masques asiates dont la grimace est la même dans l'excès du plaisir ou de la douleur, l'hilarité ou l'agonie.

Ce rire convulsif retentit dans vos récents *Jeux de massacre* où vous vous êtes laissé aller à votre obsession funèbre. [...]

S'il est vrai que certains anxieux vont mieux quand tout va mal, votre dernier spectacle leur fera du bien. C'est une compensation pour la conscience malheureuse de bafouer la réalité ou de la réduire en miettes, comme pour mettre hors d'atteinte le souvenir des épiphanies. Quand, à propos de l'interprétation jungienne des symboles, vous dénoncez amèrement l'impossible « mariage du ciel et de la terre », celle-ci n'étant que boue et décomposition, vous trahissez par votre amertume la persistance de votre nostalgie. « Un jungien », précisez-vous, « dirait que ce que j'écris est névrotique parce que ma littérature exprime la séparation entre la terre et le ciel. Tantôt, en effet, c'est la lourdeur, l'épaisseur, la terre, la boue, tantôt c'est le ciel, la légèreté, l'évanescence. » Cette définition interplanétaire et romantique, trop romantique, de la névrose paraît d'autant mieux vous convenir que vous ajoutez : « S'il n'y a pas de névrose il n'y a pas de littérature. La santé n'est ni poétique ni littéraire. » Voici une affirmation bien troublante pour un médecin, mais il paraît opportun de ne pas y insister. Quelle que soit l'attraction du ciel, laissez à vos doublures les exploits aériens et demeurez longtemps avec les autres enfants du limon, sur cette terre où nous pataugeons. Si décourageante qu'en soit parfois la pesanteur, vous avez le don du comique qui permet d'en rire et le don du rêve qui permet de s'en libérer. Ces délivrances vous les rendez sensibles à votre public, aujourd'hui nombreux dans le monde et dont l'audience même, indépendante des pays et des régimes, est le signe que vous avez su rejoindre à travers des mythes simples quelque chose d'essentiel.

CHRONOLOGIE

1912 : 26 novembre [le 13, selon le calendrier orthodoxe], naissance à Slatina (Roumanie).

1913 : Eugène Ionesco vient à Paris avec ses parents.

1914 : Il habite square de Vaugirard.

1916 : À l'âge de quatre ans, grand amateur de Guignol.

1921 : Sa mère l'emmène à La Chapelle-Anthenaise (Mayenne).

1924 : À l'âge de douze ans, rue de l'Avre, Paris-15e, écrit une pièce « héroïque » en deux actes (32 pages de cahier écolier) et un scénario comique. Textes perdus.

1925 : Retourne en Roumanie, où il reste jusqu'en 1938. Se met à apprendre le roumain.

1929 : Prépare à l'Université de Bucarest une licence de français.

1930 : Premier article dans la revue *Zodiac*.

1931 : *Élégies pour des êtres minuscules* (plaquette de vers, influencés par Francis Jammes).

1932 : Articles dans les revues *Azi, Flourea de Foc, Viata Literara, Romania Literara*.

1933 : Collaboration à *Facla* et à l'*Universul Literar*.

1934 : *Nu* (Non), recueil d'articles et de pages de journal.

1936 : Assure la rubrique critique de la revue *Facla*. Mariage.

1937 : Professeur de français dans un lycée de Bucarest.

1938 : « Le vocabulaire de la critique », article paru dans *Vremea*. Bourse du gouvernement roumain, pour préparer à Paris une thèse (jamais terminée) sur : Le thème de la mort dans la poésie depuis Baudelaire.
À Paris, s'intéresse aux écrits d'Emmanuel Mounier, Berdiaev, Jacques Maritain, Gabriel Marcel.

1939 : Rencontre Henri Thomas. Voyage à Marseille (rapports avec les *Cahiers du Sud* et Léon-Gabriel Gros).

1944 : Naissance de sa fille Marie-France.

1945 : Habite rue Claude-Terrasse, Paris-16e. Correcteur dans une maison d'éditions administratives.

1948 : Commence à écrire la pièce qui sera intitulée *La Cantatrice chauve*.

1950 : 11 mai, première représentation de *La Cantatrice chauve*, au Théâtre des Noctambules. Mise en scène de Nicolas Bataille. Insuccès. Ionesco écrit *La Leçon, Jacques, Les Salutations.*

1951 : 20 février, *La Leçon*, au Théâtre de Poche. Mise en scène de Marcel Cuvelier. Ionesco écrit *Les Chaises, Le Maître, Le Salon de l'automobile, L'Avenir est dans les œufs*. Il joue le rôle de Stepan Trophimovitch dans *Les Possédés*, mis en scène par Nicolas Bataille.

1952 : 22 avril, *Les Chaises*, au Nouveau Lancry. Mise en scène de Sylvain Dhomme.
Ionesco écrit *Victimes du devoir.*

1953 : février, *Victimes du devoir*, au Théâtre du Quartier-Latin. Mise en scène de Jacques Mauclair.
Septembre, *La Jeune Fille à marier, Le Salon de l'automobile, Le Connaissez-vous, Le Rhume onirique, La Nièce-Épouse, Les Grandes Chaleurs* (adapté de Caragiale), *Le Maître*, au Théâtre de la Huchette. Mises en scène de Jacques Polieri.
Théâtre, éd. Arcanes, avec une préface de Jacques Lemarchand.
Ionesco écrit *Amédée* et *Le Nouveau Locataire.*

1954 : 14 avril, *Amédée ou comment s'en débarrasser*, au Théâtre de Babylone.
Mise en scène de Jean-Marie Serreau.
Théâtre (tome I), éd. Gallimard, avec la préface de Jacques Lemarchand.
Ionesco écrit *Le Tableau.*

1955 : Octobre, *Jacques ou la Soumission*, au Théâtre de la Huchette. Mise en scène de Robert Postec. *Le Nouveau Locataire*, en Finlande.
Ionesco écrit *L'Impromptu de l'Alma.*

1956 : 20 février, *L'Impromptu de l'Alma*, au Studio des Champs-Élysées. Mise en scène de Maurice Jacquemont.
Le Nouveau Locataire, à Londres (Arts Theatre).

1957 : 10 septembre, *Le Nouveau Locataire*, au Théâtre d'Aujourd'hui. Mise en scène de Robert Postec.
Ionesco écrit (à Londres) *Tueur sans gages.*
Reprise au Théâtre de la Huchette de *La Cantatrice chauve* et de *La Leçon* dans les mises en scène de la création. Ce spectacle s'est joué depuis sans interruption.

1958 : Écrit *Rhinocéros.*
Théâtre (tome II).

1959 : Participe aux Entretiens d'Helsinki sur le théâtre d'avant-garde.

27 février, *Tueur sans gages,* au Théâtre Récamier. Mise en scène de José Quaglio.
Rhinocéros, à Düsseldorf. Mise en scène de Karl-Heinz Stroux.
Diffusion de *Rhinocéros,* dans la traduction anglaise de Derek Prouse, par la B.B.C.
Juin, *Scène à quatre,* au Festival de Spolète.

1960 : Habite 14, rue de Rivoli, Paris-1er.
22 janvier, *Rhinocéros,* au Théâtre de France. Mise en scène de Jean-Louis Barrault.
28 avril, *Rhinocéros,* à Londres (Royal Court). Mise en scène de Orson Welles.
Apprendre à marcher (scénario d'un ballet, musique de Malec).
Tueur sans gages, à New York.
Juillet, radiodiffusion du *Maître* (version opéra, musique de Germaine Tailleferre).

1961 : Écrit le sketch « La Colère » pour le film *Les Sept Péchés capitaux.*

1962 : avril, *Délire à deux,* au Studio des Champs-Élysées. Mise en scène d'Antoine Bourseiller. Ionesco écrit *Le Roi se meurt* et *Le Piéton de l'air.*
15 décembre, *Le Roi se meurt,* au Théâtre de l'Alliance française. Mise en scène de Jacques Mauclair.
Notes et Contre-notes, éd. Gallimard, recueil d'articles divers.

1963 : *Le Piéton de l'air,* à Düsseldorf et au Théâtre de France. Mise en scène de Jean-Louis Barrault.
Théâtre (tome III).

1964 : Écrit *La Soif et la Faim.*

1965 : *La Soif et la Faim,* publiée dans la N.R.F. et jouée à Düsseldorf.
Voyage à bord du *France,* au cours duquel est représenté *Délire à deux,* mis en scène par Nicolas Bataille.

1966 : Conférence-spectacle au Théâtre de France, au cours de laquelle Maria Casarès, Jean-Louis Barrault et Ionesco lisent des textes inédits.
Délire à deux et *La Lacune,* au Théâtre de France. Mise en scène de Jean-Louis Barrault.
La Soif et la Faim, à la Comédie-Française. Mise en scène de Jean-Marie Serreau.

1969 : *Pièces inédites en un acte,* au Théâtre Le Kaléidoscope.

1970 : 22 janvier, élection à l'Académie française, au fauteuil de Jean Paulhan.

11 septembre, *Jeux de massacre,* au Théâtre Montparnasse. Mise en scène de Jorge Lavelli.

1971 : 25 février, Réception à l'Académie française.

1972 : Février, *Macbett,* au Théâtre Rive-gauche. Mise en scène de Jacques Mauclair.

BIBLIOGRAPHIE

I. ŒUVRES DE IONESCO

1) publiées séparément :

a) *Théâtre :*

La Cantatrice chauve, dans *Cahiers du Collège de Pataphysique,* nos 7 et 8/9, s.d.

L'Avenir est dans les œufs, dans *Cahiers du Collège de Pataphysique,* n° 19, s.d.

La Jeune Fille à marier, dans *Les Lettres nouvelles,* juin 1953.

Le Maître, dans *Bizarre,* n° 1, mai 1955.

Le Tableau, dans *Dossiers du Collège de Pataphysique,* n° 1, 1958.

Le Rhinocéros, coll. « Le Manteau d'Arlequin », éd. Gallimard, 1959.

Scène à quatre, dans *Dossiers du Collège de Pataphysique,* n° 7, 1959 et dans *L'Avant-Scène,* n° 210, 15 décembre 1959.

Les Salutations, dans *Les Lettres nouvelles,* décembre 1960.

Le Roi se meurt, coll. « Le Manteau d'Arlequin », éd. Gallimard, 1963.

La Cantatrice chauve, suivie d'une scène inédite. Interprétation typographique de Massin et photographique d'Henry Cohen, éd. Gallimard, 1964.

La Cantatrice chauve et *La Soif et la Faim,* dans *L'Avant-Scène,* nos 373/374, s.d.

Le Roi se meurt, présenté par Cécile Audry, éd. Larousse, 1968.

La Cantatrice chauve, suivie de *La Leçon,* coll. « Le Manteau d'Arlequin », éd. Gallimard, 1970.

Rhinocéros, présenté par Claude Abastado, éd. Bordas, 1970.

Jeux de massacre, coll. « Le Manteau d'Arlequin », éd. Gallimard, 1970.

Macbett, coll. « Le Manteau d'Arlequin », éd. Gallimard, 1972.

b) *Récits :*

Oriflamme, dans *La Nouvelle Nouvelle Revue Française,* n° 14, février 1954.

Une victime du devoir, dans *Medium,* janvier 1955.

La Photo du Colonel, dans *La Nouvelle Revue Française,* novembre 1955.

Tueur sans gages, ibid., novembre 1955.

Rhinocéros, dans *Les Lettres nouvelles,* n° 52, septembre 1957.

La Vase, dans *Cahiers des Saisons* (1re partie : n° 26, été 1961 ; 2e partie : n° 29, printemps 1962).

Le Piéton de l'air, dans *La Nouvelle Revue Française,* février 1962.

L'Œuf dur, dans *Cahiers Renaud-Barrault,* n° 42, février 1963.

Le Solitaire, roman, éd. Mercure de France, 1973.

c) *Textes divers* (ne sont pas mentionnés sous cette rubrique les textes recueillis dans *Notes et Contre-notes* et dans *La Photo du Colonel.* Voir ci-dessous § 2).

Le Point de départ, dans *Cahiers des (Quatre) Saisons,* n° 1, août 1955.

Mes pièces ne prétendent pas sauver le monde, dans *L'Express,* 15 octobre 1955.

Gammes, dans *Cahiers des Saisons,* n° 7, septembre 1956.

Olympie, ibid., n° 10, avril-mai 1957.

Pour Cocteau, ibid., n° 12, octobre 1957.

Ni un Dieu ni un Démon (Artaud), dans *Cahiers Renaud-Barrault,* nos 22/23, mai 1958.

Reality in Depth, dans *Encore* (Londres), mai-juin 1958.

Préface pour *Les Possédés,* adaptation théâtrale du roman de Dostoïevski par Akakia-Viala et Nicolas Bataille, éd. Émile-Paul, 1959.

Interview, dans *L'Express,* 28 janvier 1960.

Pages de Journal, dans *La Nouvelle Revue Française,* février 1960.

L'Auteur et ses problèmes, dans *Revue de Métaphysique et de Morale,* octobre-décembre 1963.

Journal en miettes, éd. Mercure de France, 1967.

Présent passé Passé présent, éd. Mercure de France, 1968.

Découvertes, coll. « Les Sentiers de la création », éd. Skira, 1969.

Conte n° 1 pour enfants de moins de trois ans, éd. Martin Quist, 1969. *Conte n° 2,* 1970 ; *Conte n° 3,* 1971.

Discours de réception d'Eugène Ionesco à l'Académie française... éd. Gallimard, 1971.

d) *Traduction :*

Pavel Dan, *Le Père Urcan,* traduit du roumain par Gabrielle Cabrini et Eugène Ionesco. Préface d'Eugène Ionesco, éd. Jean Vigneau, Marseille 1945.

2) Recueils :

Théâtre I, coll. « Locus solus », éd. Arcanes 1953 (Préface de Jacques Lemarchand; *La Cantatrice chauve, La Leçon, Jacques ou la Soumission, Le Salon de l'automobile*).

Théâtre, éd. Gallimard.

Tome I (Préface de Jacques Lemarchand; *La Cantatrice chauve, La Leçon, Jacques ou la Soumission, Les Chaises, Victimes du devoir, Amédée ou comment s'en débarrasser*), 1954.

Tome II (*L'Impromptu de l'Alma ou le Caméléon du berger, Tueur sans gages, Le Nouveau Locataire, L'Avenir est dans les œufs ou il faut de tout pour faire un monde, Le Maître, La Jeune Fille à marier*), 1958.

Tome III (*Rhinocéros, Le Piéton de l'air, Délire à deux, Le Tableau, Scène à quatre, Les Salutations, La Colère*), 1963.

Tome IV (*Le Roi se meurt, la Soif et la Faim, La Lacune, Le Salon de l'automobile, L'Œuf dur, Pour préparer un œuf dur, Le Jeune Homme à marier, Apprendre à marcher*), 1969.

Notes et Contre-notes, coll. « Pratique du Théâtre », éd. Gallimard, 1962 — repris dans la coll. « Idées ». (Ce volume réunit la plupart des articles publiés par Ionesco.)

La Photo du Colonel (*Oriflamme, La Photo du Colonel, Le Piéton de l'air, Une victime du devoir, Rhinocéros, La Vase, Printemps 1939*), éd. Gallimard, 1962.

II. ÉTUDES

Outre les articles et les ouvrages dont des extraits sont procurés par le présent volume, on peut signaler :

Robert Abirached, *Eugène Ionesco*, dans *Écrivains d'Aujourd'hui*, éd. Grasset, 1960.

Michel Autrand, *Un autre théâtre*, dans *La Littérature en France depuis 1945*, éd. Bordas, 1970.

Thomas Barbour, *Beckett and Ionesco*, dans *Hudson Review*, été 1958.

Marc Beigbeder, *Le Théâtre en France depuis la Libération*, éd. Bordas, 1959.

Claude Bonnefoy, *Entretiens avec Eugène Ionesco*, éd. Pierre Belfond, 1966.

Richard N. Coe, *Ionesco*, éd. Methuen, Londres, 1971.

Michel Corvin, *Le Théâtre nouveau en France,* coll. « Que sais-je? », éd. Presses Universitaires de France, 1963, 3e éd., 1969.

Guy Dumur, *Ionesco des pieds à la tête,* dans *Arts,* 20/26 janvier 1960.

Jean Duvignaud, *Au-delà du langage,* dans « Théâtre de France », vol. 4.

— *La Dérision,* dans *Cahiers Renaud-Barrault,* nº 29, février 1960.

Étienne Frois, *Rhinocéros,* coll. « Profil d'une œuvre », éd. Hatier, 1970.

Gilbert Gadoffre, *Eugène Ionesco,* dans *Dictionnaire de Littérature contemporaine,* éd. Universitaires, 1963.

Portrait d'Eugène Ionesco, nº 15 des *Cahiers des Saisons,* hiver 1959.

Ionesco à l'heure anglaise, dans *Théâtre populaire,* nº 34, 2e trimestre 1959.

Ionesco, monographie établie par Simone Benmussa, éd. Comédie-Française, 1966.

Marianne Kesting, *Das epische Theater.* Zur Struktur des modernen Dramas, éd. Kohlhammer, Stuttgart, 1959.

Lawrence Kitchin, *Theater, nothing but theater : the plays of Eugène Ionesco,* dans *Encounter,* nº 4, 1958.

Rosette C. Lamont, *The Metaphysical Farce : Beckett and Ionesco,* dans *French Review,* février 1959.

— *The Proliferation of matter in Ionesco's plays,* dans *French Review,* 1962.

Raymond Laubreaux, *Situation de Ionesco,* dans *Théâtre d'Aujourd'hui,* nº 9, janvier-février 1959.

— *Ionesco bifrons,* dans *La Cultura nel mondo* (Bologne), nº 6, septembre 1962.

Jacques Lemarchand, *Spectacles Ionesco,* dans *La Nouvelle Revue Française,* décembre 1955.

Georges Lerminier, *Clés pour Ionesco,* dans *Théâtre d'Aujourd'hui,* nº 3, septembre-octobre 1957.

— *Dialogue avec Ionesco,* dans *La Pensée française,* nº 6, juin 1959.

André Muller, *Techniques de l'Avant-Garde,* dans *Théâtre populaire,* nº 18, 1er mai 1956.

Gaëtan Picon, *Panorama de la littérature contemporaine,* éd. Gallimard, 1960.

Leonard C. Pronko, *The anti-spiritual victory in the theater of Ionesco,* dans *Modern Drama,* mai 1959.

— *Eugène Ionesco,* Columbia University Press, 1965.

Muriel Reed, *Ionesco,* dans *Réalités* (éd. anglaise), décembre 1957.

Peter Ronge, *Polemik, Parodie und Satire bei Ionesco,* Elemente einer Theater-theorie und Formen des Theaters über das Theater, éd. Gehren, 1967.

Saint-Tobi, *Ionesco ou À la recherche du paradis perdu,* coll. « Les Essais », éd. Gallimard, 1973.

Paul Surer, *Le Théâtre français contemporain,* éd. SEDES, 1964.

(Frédéric de Towarnicki), *L'Express va plus loin avec Ionesco,* dans *L'Express,* 5/11 octobre 1970.

Paul Vernois, *La Dynamique théâtrale d'Eugène Ionesco,* éd. Klincksieck, 1971.

Alain Virmaux, *Antonin Artaud et le Théâtre,* éd. Seghers, 1970.

Donald Watson, *The Plays of Ionesco,* dans *Tulane Drama Review,* octobre 1958.

George Wellwarth, *The Theatre of protest and paradox* — development in Avant-Garde dram., New York University Press, 1964.

DOCUMENTATION AUDIO-VISUELLE

I. CINÉMA

La Cantatrice chauve, réalisation de Jean Ravel, dans la mise en scène de Nicolas Bataille, au Théâtre de la Huchette, 1966.

La Leçon, réalisation de Jean Ravel, dans la mise en scène de Marcel Cuvelier, au Théâtre de la Huchette, 1966.

La Vase, réalisation de Von Kramen (Ionesco en étant l'auteur et le principal interprète), 1970. 1re projection : 3 novembre 1971 au musée du Cinéma du palais de Chaillot.

II. TÉLÉVISION

Émissions de l'O.R.T.F. :

Les Chaises, réalisation de Roger Iglésis, avec Jacques Mauclair, Tsilla Chelton, Pierre Debauche (diffusion le 21 novembre 1962).

Rhinocéros, réalisation de Roger Iglésis, avec le Théâtre de France-Compagnie Madeleine Renaud Jean-Louis Barrault (diffusion le 27 avril 1965).

Amédée ou comment s'en débarrasser, réalisation de Boursaus (diffusion le 30 avril 1968).

Le Roi se meurt, réalisation d'Odette Collet, avec Jacques Mauclair, Tsilla Chelton, Claude Winter, Thérèse Quentin, Marcel Cuvelier (diffusion le 21 novembre 1968).

Diverses émissions donnent d'autre part à Ionesco l'occasion de s'exprimer sur son œuvre, sa conception du théâtre et de la vie.

Les plus récentes sont celles :

du 1er janvier 1969 (Ionesco à Zurich),
du 22 janvier 1970 (dans la série « Le fond et la forme »),
du 7 mars 1971 (dans la série « L'invité du dimanche », Ionesco invité de V. Jankélévitch),
du 19 mars 1972 (dans la série « 30e », à propos de *Macbett*).

III. DISQUES

L'Auteur dramatique ou la tragédie du langage. Int : l'auteur. D.E.S.

La Cantatrice chauve. Int : l'auteur (Lecture à une voix). La voix de l'auteur.

La Cantatrice chauve. [Enregistr. intégral.] *Int :* Odette Piquet, C. Mansard, Jacqueline Staup, N. Bataille, Thérèse Quentin, J. Legre. Philips.

Les Chaises. Int : l'auteur (lecture à une voix). La voix de l'auteur.

La Leçon. Int : l'auteur (lecture à une voix). La voix de l'auteur.

La Leçon. [Enregistr. intégral.] *Int :* Jacqueline Staup, Rosette Zucchelli, M. Cuvelier. Philips-Réalités.

La Photo du Colonel (conte) [suivi de : *Rhinocéros* (conte)]. *Int :* l'auteur. La voix de l'auteur.

Le Piéton de l'air (récit) (et *Trois saynètes*). *Int :* l'auteur. La voix de l'auteur.

Trois saynètes (et *Le Piéton de l'air*). *Int :* l'auteur. La voix de l'auteur.

La Vase (récit). *Int :* l'auteur. La voix de l'auteur.

TABLE DES MATIÈRES

IV. IONESCO BIFRONS

ACHEVÉ D'IMPRIMER
PAR L'IMPRIMERIE FLOCH
À MAYENNE
LE 25 OCTOBRE 1973

Numéro d'édition : 1561
Numéro d'impression : 12258
Dépôt légal : 4e trim. 1973

Printed in France